Libérez-vous !

Barefoot Doctor

Libérez-vous !

Le meilleur antidote au stress, à la dépression et à tous les sentiments négatifs qui vous gâchent la vie

• MARABOUT •

Du même auteur :
Le guerrier urbain : manuel de survie spirituelle, J'ai lu, 2000.

Publié pour la première fois en langue anglaise en 2002 sous le titre original *Liberation* par Element, HarperCollins Publishers, 77-85 Fulham Palace Road Hammersmith, London W6 8JB.

Traduction-adaptation : Catherine Vandevyvere, avec la collaboration d'Isabelle de Jaham.

SOMMAIRE

Pour une brève introduction au tao

Préambule

La libération proprement dite

POUR UNE BRÈVE INTRODUCTION AU TAO

CE QU'EST LE TAO...
ET CE QU'IL N'EST PAS...

« Toujours invisible,
Pour nous inciter à en rechercher et ainsi appréhender l'intime secret,
Toujours présent,
Afin que nous en connaissions les manifestations visibles :
Ces deux aspects – visible et non visible – désignent une même chose.
Différents dans leurs manifestations, ils reçoivent des noms différents. »

(TAO-TE KING)

Le Taoïsme n'est pas une religion, plutôt une philosophie faisant appel à des techniques psychophysiques comme, par exemple, le taï chi, l'acupuncture ou le feng shui, ouvrant à ses adeptes un accès direct et personnel à ce royaume divin, par-delà existence et non-existence, d'où jaillit le flux de l'énergie individuelle et de l'épanouissement, au cœur de la réalité quotidienne, de moment en moment. Bien que le Tao lui-même soit par essence ineffable et indéfinissable, la pratique des techniques taoïstes vous pro-

pose une voie, un chemin à adopter pour traverser les dures réalités de la vie en maintenant un état d'harmonie authentique avec l'univers, en restant centré et en conservant un cœur calme et pur, tandis que vous travaillez, vous reposez ou jouez.

Suivre votre Tao vous met devant une expérience existentielle pragmatique, sans concessions avec le réel. Vous cessez subtilement de vous focaliser sur l'acquisition des connaissances par l'intellect pour vous ouvrir à une sagesse qui provient du corps ; vous comprenez peu à peu quand il faut laisser aller et accepter les événements extérieurs, et quand vous mobiliser pour passer à l'action ; ainsi ne gaspillez-vous pas votre énergie vitale, le *chi*, dont le développement est au cœur de l'enseignement taoïste.

Le Tao développe ce *chi*, qui est la primordiale force générative de l'univers. C'est une force qui irrigue toutes nos vies. En suivant cette voie, l'humain cherche des réponses à ses problèmes à travers la méditation et l'observation attentives du monde qui l'entoure.

• *Les origines* •

Apparu pour la première fois en Chine ancienne autour du sixième siècle avant J.-C., le Tao découle d'une puissante combinaison syncrétique de trois courants philosophiques fondamentaux de l'époque : une sagesse paysanne populaire basée sur la vénération des forces de la nature (l'eau, la terre, l'air, le feu), alors associées à des esprits actifs, un corpus très raffiné de thérapies anciennes vouées à conduire l'Homme à l'immortalité (à travers la régulation du souffle, la concentration, des pratiques diverses et une pharmacopée millénaire), et enfin, une conception matérialiste et pragmatique des mécanismes de l'univers (basée sur la dualité des principes yin et yang).

On ne connaît que peu de choses sur Lao-Tseu lui-même, le fondateur mythique du Taoïsme. Il serait né en Chine centrale, entre 604 et 517 avant J.-C., et avait choisi de mener une existence retirée du monde, écœuré par les mœurs de son temps. Selon la tradition, le sage, en partance vers l'Inde, fut retenu à la frontière par un garde lui demandant de faire état de ses valeurs. Comme il parlait de sa sagesse, le garde insista pour qu'il le prouve par l'écriture de ses principes, avant de franchir la frontière. Ainsi naquit le Tao-te King (ou ***Livre de la Voie et de la Vertu***) en quatre-vingt-une sections et cinq mille caractères, cœur même de l'enseignement taoïste tel qu'il nous est parvenu aujourd'hui. Telle est donc la légende. Le livre ne fut probablement jamais écrit ainsi, ni par un seul et même auteur. Il se compose en réalité d'un grand nombre de textes de sources différentes. Avec le Confucianisme et le Bouddhisme, le Taoïsme allait devenir l'une des trois grandes philosophies de la Chine éternelle.

• *Les concepts essentiels* •

Dans cet enseignement, la notion de ***de*** (la vertu) fait référence à l'action basée sur le ***Tao***, et sa manifestation à travers les êtres et les choses. Cette valeur précise de vertu ne tire pas son essence d'une pensée ni d'une étude morale. Lao-Tseu lui confère un pur aspect cosmique, sans plus aucun lien avec l'éducation ou la civilisation. La *vertu*, si l'on en croit les maîtres de jadis, n'était pas une chose que l'on développait pour se conformer à un système de valeurs morales ou de règles sociales. Il ne s'agissait pas non plus d'en témoigner à travers un comportement particulier. La vertu résultait pour eux (et résulte toujours) d'une énergie corporelle centrée, et en harmonie avec le flux du Tao. Car lorsqu'on se recentre sur soi-même en relaxant ses muscles, en allongeant sa colonne vertébrale, en libérant sa respiration et en dirigeant sa pensée dans le bas-ventre, on ne peut manquer d'être en état de *vertu* – un état dans lequel vous respirez naturellement la vérité, la clarté, la compassion, l'intégrité, le courage, la dignité, la patience, la modestie et la lucidité, ainsi qu'une discrète magnificence, et cela, où que vous soyez, avec qui que vous soyez et quoi que vous fassiez, quels que soient les usages sociaux en vigueur.

De représente à l'évidence un état désirable à atteindre, parce qu'une fois acquis, non seulement vous vous aimez davantage et vous mortifiez moins, mais vous devenez nettement plus aimable aux yeux des autres et en conséquence, de nombreuses opportunités valables se présentent à vous, tandis que vous empruntez avec insouciance le grand boulevard de la vie.
Et tout pendant que cet état de *de* se manifeste naturellement en vous, à mesure que vous vous centrez sur vous-même de la manière décrite plus haut, le procédé d'acquisition s'amplifie de lui-même, si, en l'expérimentant, vous choisissez consciemment d'accéder à la vérité, la clarté, la compassion, l'intégrité, au courage, à la dignité, la

patience, la modestie, la conscience, la magnificence, et pour ainsi dire, à toute autre qualité associée pour vous à l'idée de vertu humaine naturelle et sans contrainte.
Ceci posé, et pour passer d'un seul coup d'une introduction théorique à l'expérience pratique – et avant que tout cela ne devienne une spéculation par trop intellectuelle – après avoir relaxé et ramolli vos muscles, en particulier le sphincter anal, le diaphragme, la poitrine, la gorge, l'arrière de la tête et la zone centrale du cerveau (chacune de ces régions libérant un puissant pouvoir de relaxation), puis également étiré votre colonne, libéré votre souffle sans plus le retenir, et voyagé en pensée jusque dans votre bas-ventre de manière à relâcher le mental, essayez de formuler intérieurement six fois de suite : « J'accède à présent à la vérité, la clarté, la compassion, l'intégrité, le courage, la dignité, la patience, la modestie, la conscience et la discrète beauté naturelle qui sont en moi, et je leur permets de resplendir ce jour et ce soir pour le plus grand plaisir des autres. » Je suis prêt à parier que vous allez passer une journée et une soirée subtilement mais profondément différentes de ce qu'elles auraient été sans cet exercice.

Comme nous ne sommes que des être humains, les chances sont grandes pour qu'à un certain moment, alors que notre mental et notre énergie se dressent en réaction au stress quotidien, que nos muscles se raidissent et que notre souffle ne circule plus librement, l'état de *de* ne s'évanouisse provisoirement. Nous nous retrouvons alors aux prises avec notre propre mesquinerie, notre mensonge, nos maladresses ou notre malveillance. Si cela se produit, la chose à faire, du point de vue de la circulation des énergies, est de cesser de vous punir vous-même par le blocage de celles-ci. Faites-en le constat sans jugement, ce qui corrigera automatiquement la tendance, et vous redonnera instantanément le désir de vous recentrer.

La maîtrise du *de* à flux constant peut prendre des années, voire des dizaines d'années, mais l'effet en est cumulatif, parfois même saisissant ; sans même parler du fait – et c'est pourquoi je le souligne dès maintenant – que vous puissiez commencer à bénéficier dès à présent du Tao, avant même d'avoir fini de lire ce texte.
Moi vous voyez, je suis un *mec comme ça**, généreux – et cela m'est venu en pratiquant la philosophie dont je vous parle.
Mais revenons à l'essentiel...

Le Tao en soi n'est pas immuable, mais se déploie plutôt selon un schéma cyclique en perpétuel développement, épousant la fameuse dualité du yin et du yang. Celui d'une alternance éternelle entre le positif et le négatif, la lumière et l'obscurité, les énergies féminines et masculines, dont l'équilibre et l'interaction sont à l'origine de tous les phénomènes qui nous entourent – y compris vous. À cette conception de l'univers vient s'adjoindre une sorte de tableau de correspondances entre les cinq éléments (l'eau, le bois, le feu, le métal et la terre), les saisons, les points cardinaux et les différentes fonctions biologiques du corps humain (le cœur, les poumons, les reins, le foie et la rate).

L'art bienfaisant du ***wu wei*** – la manifestation sans effort – vient couronner le tout, qui permet au Tao de suivre son propre chemin dans les affaires de votre vie en donnant de bien meilleurs résultats que ceux auxquels vous auriez pu prétendre à travers votre mental individuel – par opposition au vaste flux de l'univers. Loin d'encourager à la paresse, cet art vous apprend à jouer avec la vie comme un enfant, et à accomplir tout ce que vous voulez plus facilement dans une innocente énergie, sans effort, avec plaisir – et parfois miraculeusement, en effectuant de prodigieux bonds en avant, et non à l'issue d'une démarche progressive.

Pour y parvenir, vous apprenez à nourrir et développer le flux du ***chi*** dans votre corps. Votre santé, votre vitalité et votre longévité sont fortement conditionnées par la qualité et de la vélocité de ce flux d'énergie, mais également votre capacité à manifester tout ce que vous voulez, sans tensions.

• *En conclusion* •

Bien qu'il soit agréable et éventuellement utile de sa familiariser avec les bases théoriques et historiques évoquées plus haut, il serait également tout à fait acceptable – voire bienvenu – d'oublier tout ce qui vient d'être dit, en expérimentant par vous-même, tel que vous êtes, les ressources illimitées, indescriptibles, mystérieuses et si magnifiques de votre propre conscience et de votre propre corps. Et en vous frayant un accès direct aux majestueux royaume du Tao. Il se pourrait même que la magie commence à opérer immédiatement, *pourquoi pas** ?

* *en français dans le texte*

PRÉAMBULE

Libérez-vous de l'absence d'introduction de ce livre

1

Se libérer de l'esclavage, de la pauvreté, de la faim, de la guerre, de l'oppression ou de tout autre fardeau, a toujours revêtu un charme romantique. Dans l'inconscient collectif, les grands libérateurs sont d'ailleurs élevés au rang de héros. Car c'est l'action qui permet d'obtenir le trésor le plus recherché de l'humanité : la liberté.

Je ne vous apprendrai rien en vous disant que quand vous appuyez sur le champignon et vous jetez la tête la première dans l'inconnu, vous finissez par être stoppé par un autre embouteillage ou des douaniers sourcilleux. Maintenant que notre planète est presque totalement colonisée, la liberté ne peut se trouver au-delà des frontières. Mais il est de toute façon illusoire de penser que cela a un jour été le cas. La liberté se trouve en chacun de nous : dès que nous nous libérons de notre combat intérieur contre la vie, quelle que soit sa forme, et que nous trouvons la paix de l'esprit.
Dès que vous cessez de vouloir ci ou ça, de préférer ceci à cela, plus

aucun élément extérieur ne peut vous maintenir captif, pas même les murs d'une prison.

Si vous trouvez la clé pour vous libérer de la peur, de l'avidité, de la frustration et de toutes les autres prisons, alors vous pourrez ouvrir la porte et vous affranchir. Ce faisant, vous devenez un libérateur, donc un héros. Vous devenez un héros, parce que si vous êtes libre, toute personne qui a la chance d'être entraînée dans votre sillage sera elle aussi instantanément libérée.

La liberté est un virus contagieux que personne ne peut arrêter. Commencez par prendre conscience des facteurs qui, par moments, vous prennent au piège, à divers degrés. Ce sont eux qui vous empêchent de vivre pleinement la vie que vous souhaitez vivre, la vie que vous pourriez vivre si vous étiez prêt à saisir votre chance.

Libérez-vous de ne pas savoir ce qu'il faut attendre de ce livre

2

Patience, vous allez bientôt tout savoir... Dans cet ouvrage, j'examine tous les blocages qui vous entravent et je propose des antidotes afin de vous en libérer. Ils sont principalement inspirés du taoïsme (ancien et postmoderne), mais aussi du bouddhisme, du chamanisme, de l'humanisme, du positivisme et enfin, du simple bon sens. Les techniques présentées varient de l'acupressure (ou digitopuncture) et autres méthodes et mouvements physiques et énergétiques, à la magie pure et simple (incantations, visualisation, manipulation de l'énergie et concentration mentale intensive). Ne vous inquiétez pas, je les ai toutes utilisées moi-même pendant bientôt trois décennies et je les ai conseillées à mes nombreux patients et élèves. Un être humain doté d'un Q.I. moyen devrait pouvoir facilement les apprendre et les appliquer ; j'y suis bien arrivé ! Néanmoins, je dois vous avertir que les techniques que j'ai sélectionnées avec la plus grande prudence, c'est-à-dire sans jamais oublier votre sécurité et votre santé, sont potentiellement puissantes et peuvent perturber votre bien-être général si elles sont mal appliquées.

Si vous souffrez d'une maladie physique ou mentale pour laquelle vous suivez peut-être un traitement, consultez d'abord votre médecin de famille, un psychiatre ou un médecin spécialiste des médecines douces avant d'utiliser les techniques que je conseille dans cet ouvrage car, ni moi-même, ni toute personne impliquée dans la réalisation, la distribution, la commercialisation et la vente de ce livre ne pourront être tenus pour responsable d'une quelconque mésaventure.

Cela dit, à moins que vous ne soyez totalement déconnecté de votre sagesse naturelle et de votre intelligence innée ou que vous ne soyez profondément autodestructeur, il est fort peu probable que mon livre nuise à votre santé psychique et physique. Normalement, la pratique régulière des techniques proposées doit vous aider à vous libérer de tout état de mal-être. Néanmoins, comme pour tout procédé curatif digne de ce nom, les changements véritables ne s'opèrent qu'avec le temps. Ne vous attendez donc pas à une métamorphose instantanée ou quasi instantanée (encore qu'après une bonne nuit de sommeil, un miracle est toujours possible). Il s'agit plutôt de mettre en œuvre un processus de libération qui vous mènera à une toute nouvelle relation (une relation plus complète, de qualité, satisfaisante et fructueuse) avec vous-même et avec le monde extérieur. Sachez que vous pourrez accélérer ou ralentir à volonté ce processus selon la manière plus ou moins intense avec laquelle vous appliquerez mes conseils.

Libérez-vous de ne pas savoir comment tirer le meilleur parti de cet ouvrage

3

Ce livre dresse l'inventaire des principaux états d'esprit et blocages dont chacun cherche généralement à se libérer. J'ai choisi de traiter les états d'esprit et les blocages que mes patients évoquaient le plus souvent et que j'avais également constatés chez moi. Les informations que je donne ici ont été recueillies au cours des vingt années d'enseignement et de soins que j'ai prodigués, des trente années où je me suis soigné et où j'ai tiré de nombreux enseignements et, plus récemment, dans les centaines d'e-mails – écrits par des personnes qui me demandent de l'aide – que je reçois tous les jours. La liste d'états d'esprit que je donne dans cet ouvrage n'est pas exhaustive mais j'espère que vous y trouverez des conseils pertinents chaque fois que vous serez en conflit avec vous-même ou avec la réalité.

Au début de chaque chapitre apparaît un titre, par exemple « Libérez-vous du sentiment de culpabilité » ou « Libérez-vous de l'impression de toujours manquer de temps ». Ensuite, dans un ordre qui peut varier (je ne suis pas une machine, et vous non plus j'imagine), j'expose le blocage, puis je donne une analyse suivie d'un diagnostic, tout cela dans un cadre généralement philosophique.

Le blocage est relié à son (ses) organe (s) correspondant (s) (selon la théorie taoïste). Une fois que l'on connaît le ou les organe(s) concernés, on peut proposer un traitement approprié. Les thérapies présentées vont de l'acupressure (ou digitopuncture) au massage, en passant par l'incantation, la visualisation, l'écoute de sons apaisants, des exercices respiratoires et des mouvements corporels (taï chi). Elles ont toutes pour but de vous aider à vous auto-observer, vous auto-accepter, vous auto-guérir et, surtout, vous auto-libérer.

Vous remarquerez (si vous lisez ce livre jusqu'au bout) qu'il m'arrive de me répéter. Ces répétitions ne sont pas dues à d'éventuelles défaillances de mon cerveau mais vous évitent de faire un travail de mémorisation.

Mise à part ma volonté de vous éviter des efforts inutiles, les répétitions que vous constaterez dans l'ouvrage sont également dues au fait que si le nombre d'états d'esprit que chacun peut expérimenter en une heure (sans parler d'une vie) est élevé, voire infini, les organes et viscères, le cerveau, les organes génitaux auxquels ils sont reliés sont en revanche peu nombreux.

Ne pensez pas que vous vous êtes fait arnaquer en achetant ce livre si vous ne trouvez pas une technique différente à chaque page. C'est la combinaison des techniques, l'ordre dans lequel elles sont appliquées et l'intention qui les sous-tend qui permettent de traiter correctement les différents états d'esprit qui empêchent votre épanouissement.

En plus des différentes techniques que je mentionne, je préconise parfois des remèdes à base de fleurs de Bach. Attention ! je tiens à préciser que je ne cite que ceux pour lesquels j'ai constaté des effets spectaculaires sur mes patients et sur moi-même mais cela ne signifie pas que ceux dont je ne parle pas ne sont pas valables. Mon livre n'est pas un guide sur l'art d'utiliser les remèdes d'Edward Bach. Je laisse le soin de rédiger un tel ouvrage à ceux qui connaissent vraiment ce grand homme. Néanmoins, je tiens à dire que je considère qu'Edward Bach est l'un des plus grands médecins du dernier millénaire. Il est donc normal que je mentionne ses travaux dans mon livre.

Peut-être aurez-vous envie de suivre tous les conseils donnés, peut-être ne suivrez-vous que ceux qui vous séduisent. Il me paraît cependant important que vous essayiez aussi ceux qui ne vous séduisent pas car – manque de chance – ce sont ceux-là qui permettent généralement d'accomplir les plus grands progrès.

Ne suivez pas systématiquement toutes les indications au pied de la lettre mais restez néanmoins ouvert à leurs mérites et à leurs bienfaits potentiels. Les durées indiquées pour les exercices ou pour les incantations ne sont données qu'à titre indicatif. Pour ceux qui ne sont pas familiers de ce genre de pratiques, je rappelle que les incantations sont des outils personnels destinés à produire un effet sur votre réalité interne et externe ; elles ne sont vraiment efficaces que si vous rédigez vous-même la formule. Aussi celles que j'indique dans cet ouvrage sont-elles uniquement là pour vous guider, n'hésitez pas à les adapter selon votre humeur.

Libérez-vous de l'obsession de savoir pourquoi le Barefoot Doctor a bien pu écrire ce livre

4

J'ai soigné un nombre incalculable de torticolis, de migraines, d'acouphènes, de dos meurtris, d'intestins dérangés et pire encore, mais ma spécialité a toujours été la souffrance morale sous toutes ses formes.

J'ai donc, le plus souvent, tenté d'aider mes patients à « se sauver » eux-mêmes, c'est-à-dire à les aider à retrouver ou à préserver leur santé mentale en explorant à fond leur potentiel personnel, afin qu'ils répondent au mieux aux pressions de notre civilisation post-moderne (je vous entends penser d'ici, quel prétentieux ce Doctor Barefoot !)

J'ai cessé d'exercer il y a maintenant quatre ans, ou du moins, je ne soigne plus pour de l'argent. J'ai adressé tous mes patients à un ami qui, j'en étais sûr, prendrait bien soin d'eux, et je consacre à présent tout mon temps à divulguer mes connaissances (et aussi mon amour bien sûr) le plus largement possible, par tous les moyens, de manière à guérir la planète (avant qu'il ne soit trop tard, pour la planète comme pour moi).

J'ai par conséquent décidé de présenter les fruits de mon expérience dans un livre que j'ai voulu divertissant et suffisamment clair pour être compris de tous, hommes et femmes de tous âges, de toutes classes sociales, religions et cultures confondues, qu'ils soient ou non familiers de ce genre de lecture.

Quand j'ai un projet d'écriture – ce qui n'arrive pas tous les jours même si je souffre d'un besoin maladif de communiquer – la décision de passer à l'acte ne se déclenche que lorsque j'ai un titre. Et pour ce livre, les choses se sont passées de la manière habituelle. Je me trouvais un jour sur la côte catalane, en contemplation devant la mer étincelante, agréablement réchauffé par le soleil hivernal d'une fin d'après-midi, lorsque tout à coup, du champ fertile de mon imagination, surgit un mot que je n'avais que très rarement utilisé mais qui résumait parfaitement mon œuvre (si vous me permettez cette pointe d'autosatisfaction) : le mot « libération ».

Et les forêts poussèrent un soupir…
Et les marchands de papier se frottèrent les mains…

Libérez-vous de l'absence d'intrigue de ce livre 5

Un an après que la côte catalane, le soleil ou que sais-je encore m'ont inspiré mon titre, me voici, à bord du train de douze heures qui doit m'emmener de Paddington (Londres) à Angel Mountain, sur le magnifique littoral gallois, là où mes amis Jeb et Mike vivent depuis seize ans sur un mode autarcique et biologique (et ils se portent parfaitement bien, rassurez-vous !) dans une ancienne grange perdue au milieu de nulle part. En proie aux rafales de vent, ils affrontent avec sérénité les conditions climatiques extrêmes de l'indomptable mer d'Irlande.

Je m'apprête à vivre cloîtré dans cette vieille bâtisse en pierre, sobrement meublée et totalement silencieuse (à l'exception du bruit du vent et de la pluie), dans l'isolement le plus créatif possible pour écrire ce livre pour vous.

Certains passages vous paraîtront peut-être particulièrement inspirés et d'autres au contraire profondément obscurs ; n'attribuez pas ces changements de rythme à une inspiration changeante mais aux variations brutales de tension – l'électricité de la grange dans laquelle j'écris fonctionne à l'énergie hydroélectrique. Elle est alimentée par une source située à quelques kilomètres de là à Angel Mountain (je ne plaisante pas).

Après cette petite parenthèse, revenons à mon état d'esprit du moment : je suis tellement soulagé d'avoir quitté Londres que je peux à peine contenir ma joie. Enfin, me voilà libéré du luxe ostentatoire des grands hôtels, des voyages en business class, des 300 e-mails qui prennent mon ordinateur d'assaut tous les jours, des réunions interminables, des shows télévisés, des interventions à la radio, des studios d'enregistrement, des manifestations promotionnelles, des conférences, des appels téléphoniques et, bien sûr, des dizaines de SMS.

En un mot, je suis tout à vous.

Mais vous l'êtes-vous ?

Tout à moi, j'entends.

Ou bien vivez-vous, à des degrés plus ou moins importants, en réaction aux autres ? Êtes-vous, par exemple (peut-être inconsciemment), toujours en train d'essayer de plaire à vos parents, à vos enfants, à votre partenaire, à vos amis, à votre patron, à vos collègues ou à vos professeurs ? En d'autres termes, cherchez-vous à plaire aux autres ?

Êtes-vous esclave de ce que pensent les autres, ou, au contraire, êtes-vous libre ?

Ne vous sentez pas obligé de répondre. La liberté est un sujet difficile à cerner où rien n'est tout à fait blanc ni tout à fait noir mais où tout est nuancé de gris.

Étrangement, et je viens à peine de m'en rendre compte, tout ce travail d'écriture a commencé pour moi il y a douze ans, la dernière fois que j'étais à Angel Mountain. Mon ami et mentor Ronald David Laing venait de mourir d'une crise cardiaque en jouant au tennis à Saint-Tropez, et la grange de Jeb (qui avait été l'une de ses plus proches amies) m'était apparue comme l'endroit idéal pour pleurer tout mon saoul pendant quelques jours.

Entre deux crises de larmes, (voire de rire par moments), bref quand mon diaphragme se reposait, je sortais de la grange pour écrire à la lueur d'une vieille lampe à pétrole (à l'époque, Mike n'avait pas encore fait installer le système hydroélectrique). J'écrivais pendant des heures, me répandant librement sur le papier. Mes états d'âme sortaient de moi librement, comme un flot ininterrompu ; je découvris ensuite que ce que j'avais écrit s'apparentait à une prophétie et indiquait le cours que ma vie allait prendre. Mais sur le moment ce que j'écrivais importait moins que la relation entre la volonté d'écrire et les mots qui remplissaient les pages. Ainsi avec le temps, ces mots jetés sur le papier ont pris suffisamment de consistance pour que vous soyez en train de les lire confortablement assis ou debout, serré comme une sardine si vous êtes dans le métro et que vous espériez qu'ils vous aident à vous libérer.

Si j'évoque ces vieux souvenirs c'est parce que je veux souligner que la vie réserve de belles surprises dès que nous cessons de lui résister, que nous détendons à la fois le corps et l'esprit, que nous renonçons à vouloir absolument maîtriser les résultats de nos actions et que nous laissons les choses se faire sans chercher à intervenir. En d'autres termes, succombez aux imprévus de la vie avant qu'ils ne sombrent définitivement dans l'oubli ! Et si vous commenciez tout de suite !

Mais, et c'est le plus important, vous vous apercevez, avec le temps (parce que cela demande du temps), que quand vous décidez de faire confiance à la vie avec tout votre cœur, toute votre âme et tout votre esprit, alors tous vos souhaits, incantations, visualisations et aspirations finissent par se réaliser.

Voyez-vous, l'univers dans lequel nous vivons est d'une grande bonté, si, si. Voyez-le plein de bonté et il sera plein de bonté. Voyez-le hostile et il sera hostile. La qualité de votre séjour sur Terre n'est qu'une question de choix. Bien sûr, la douleur et la souffrance existent. Peut-être même les ressentez-vous profondément au moment précis où vous lisez ces lignes. Mais, et c'est la raison principale qui m'a fait prendre la plume (ou plutôt ma souris et mon clavier) pour vous écrire ; sachez que plus vous serez libre, plus vous allégerez ces sentiments pénibles.

Vous n'aidez personne (ni vous, ni les autres) en étant malheureux. Alors, quelle que soit la souffrance de ceux qui vous entourent et qui vous sont chers, soyez certain que votre rire leur sera d'un secours bien plus grand que vos larmes. Sachez donc être heureux, sachez vous réjouir d'être en vie, tout simplement. La joie de vivre devrait même vous apparaître comme un devoir. Commencez dès aujourd'hui à vous entraîner à développer ce sentiment.

Bon c'est vrai, être joyeux demande du courage et il ne faut vraiment pas avoir froid aux yeux pour être libre. Mais bon sang vous n'êtes pas venu sur cette sacrée planète qui tourne à la fois à 1 500 kilomètres/heure sur son axe et tourne autour du Soleil à 100 000 kilomètres/heure pour n'être qu'un esclave. Alors croyez-moi le courage est quelque chose qui vaut largement la peine d'être développé.

Si vous voulez, je peux vous aider à renforcer votre courage dès maintenant, dites simplement : « *J'ai du courage* ! »

Peut-être trouvez-vous ridicule de parler tout seul à voix haute ? Détrompez-vous, rien ne vaut une bonne séance de « râaaaa » une fois par jour pour vous libérer des tonnes de souffrances et d'illusions qui vous empêchent de vous exprimer librement et d'aimer la vie. Alors lancez-vous :

> « *J'ai du courage. Suffisamment de courage en tout cas pour saisir la vie à bras-le-corps, vivre pleinement, et positiver en toutes circonstances, dès maintenant* ! »

Je vous appellerais bien pour vous encourager, mais je n'ai aucun signal sur mon portable (je suis si loin de la « civilisation ») et la cabine téléphonique est à des kilomètres. De toute façon, je ne connais pas votre numéro, et puis ce serait aller un peu vite à ce stade de notre relation. Mais faites comme si j'étais au téléphone avec vous et que mes paroles réconfortantes vous réchauffaient de la tête aux pieds.

Libérez-vous de la prose

Aimez-vous la poésie ? Si oui, sachez que ce chapitre aborde, sous forme lyrique, la philosophie que prône cet ouvrage. Mais si vous avez la poésie en horreur, passez directement au chapitre suivant.

Quelle agréable aventure que celle-ci.
Quelle succession harmonieuse de moments modestes.
Des moments passionnants,
des moments satisfaisants,
des moments qui,
de votre propre point de vue
ne laissent pas entrer la folie,
tandis qu'autour de vous, la vie bouge
au rythme de Shiva,
au rythme de sa danse sans fin.

Sa danse vous fera parfois pousser des cris d'horreur,
parfois des cris de joie.

Quelquefois vous aurez tort,
quelquefois vous aurez raison,
mais tout n'est qu'apparence,
tout n'est qu'illusion.

Vous vous demandez sûrement
en quoi cela m'aide-t-il ?
À quoi je vous réponds qu'il n'est point besoin d'aide.
Acceptez-vous tel que vous êtes,
et l'on vous viendra naturellement en aide.

Mais si vous êtes dérouté
si vous vous sentez dupé,
laissez-moi vous dire simplement
que plus rien ne sera comme avant.
Mais cela n'a pas d'importance,
car il en a toujours été ainsi.
Il n'y a pas de fin, pas de commencement,
seulement le continuum de la vie.
Bien sûr, il y a des frontières,
mais tout cela n'est que théâtre,
et vous ne faites qu'y prendre part,
et vous ne faites qu'y prendre part.

Laissez-moi vous expliquer :

Agréable ? Imaginez que vous ayez atteint un tel degré d'équilibre et d'harmonie que vous arriviez à observer avec calme, cette prodigieuse aventure parsemée de sommets prodigieux et de gouffres insondables qu'est la vie. La vie est une aventure et si vous choisissez de domestiquer et d'enfermer ce cadeau dans un cadre rassurant, plein de sécurité et de prévisibilité, vous renoncez à sa plus grande qualité : *le mystère*.

Ce n'est qu'en admettant le mystère de cette aventure, en acceptant de ne pas savoir ce qui viendra ensuite, que la vie devient magie et se transforme en conte de fées et que, contre toute attente, votre rêve devient réalité. M*agie* parce que, comme les 24 images/seconde qui font qu'un film apparaît comme une suite d'actions ininterrompues, chaque moment de votre vie surgit du néant et y retourne quand tout est fini – votre esprit étant la bobine sur laquelle les images sont stockées. Et cette succession de petits moments modestes est si élégamment équilibrée, si harmonieuse, que vous ne remarquez même pas les raccords. Soit dit entre nous, ce serait vraiment un très mauvais film si on voyait les raccords !

Par moments, vous serez comme électrisé par le simple fait de participer à cette aventure. À d'autres moments, vous serez simplement satisfait. Il arrivera aussi que, quels que soient les événements extérieurs et intérieurs, vous aurez l'impression d'assister, impuissant, à une grande pièce de théâtre, où alternent création et destruction en un mouvement perpétuel (c'est la danse de Shiva, la danse de l'équilibre si vous vous inscrivez dans le cadre de la pensée taoïste). Le truc est d'arriver à porter un regard intérieur calme sur toutes ces allées et venues et leurs conséquences afin de comprendre qu'il ne s'agit que d'un spectacle éphémère.

Parfois, la violence de la danse vous fera frissonner de peur (généralement, la peur de faire une erreur et d'en mourir). Parfois vous ne ressentirez rien d'autre que de la joie pure.

Vous ferez de temps en temps des erreurs mais vous vous apercevrez rétrospectivement que ce sont ces soi-disant erreurs qui vous ont fait le plus progresser. Et quand vous aurez l'impression de bien faire, vous serez parfois obligé de constater qu'en fait vous avez foncé aveuglément dans un mur.

Peut-être vous demandez-vous à quoi tout cela rime et en quoi tout ce que je viens de vous dire peut vous aider ou vous enrichir. Je suis sûr que vous essayez de savoir s'il y a la moindre trace de vérité dans tout cela et, si oui, comment l'utiliser pour être plus fort – et avoir les yeux qui brillent de ceux à qui tout réussit –, pour devenir plus populaire et plus riche ?

Vous (et je ne fais pas de vous un cas particulier) ne vous voyez pas comme un individu entier. Vous pensez que vous le deviendrez en acquérant des choses – informations, talents, argent, biens immobiliers, statut, amants ou maîtresses, enfants et amis. Mais vous vous trompez, vous êtes entier dès le départ. C'est juste un jeu auquel vous jouez avec vous-même pour donner un sens à votre vie. Ce qui est paradoxal, c'est qu'à partir du moment où vous admettrez que vous êtes entier, vous obtiendrez tout ce dont vous avez besoin sans effort ni tension, au point que votre vie aura plus de sens que jamais. C'est ce qu'un taoïste appellerait *wu wei*, expression qui pourrait se traduire par « état de grâce ». Vous pouvez dès à présent activer cet état en cliquant sur la touche « état de grâce » de votre ordinateur interne, et en récitant la formule suivante neuf fois d'affilée :

> « Moi, (*votre nom*), *suis en état de grâce. Je reconnais que je suis entier (e) tel (le) que je suis. Tous mes rêves commencent à se réaliser.* »

Voilà, c'est activé. Mais attention ! Cela ne signifie pas que vous ne devez plus rien faire, loin de là ! N'allez pas vous imaginer que c'est en vous croisant les bras et en ignorant ceux qui vous entourent que votre vie va changer. Vos attentes ne seront en effet satisfaites rapidement que si vous entrez réellement en relation avec les autres.

Vous êtes déjà perdu ? Laissez-moi être encore plus clair et plus concis. Vous voulez que votre vie soit meilleure. C'est le souhait de tout le monde ; en fait ce souhait est indissociable de la condition humaine. La volonté d'améliorer les choses est peut-être même la principale force motrice de l'humanité. Alors cessez de vous accrocher au passé et aux choses telles qu'elles se sont déroulées jusqu'à présent, et reconnaissez que vous avez désormais la possibilité d'entrer dans le mystère. Alors vous ne serez plus sûr que d'une chose c'est que vous n'avez pas la moindre idée de quoi demain sera fait. Et même si les apparences sont trompeuses, sachez qu'on ne traverse jamais deux fois la même rivière.

N'ayez pas peur ou si vous avez peur, ne laissez pas cette peur vous barrer la route. À partir d'aujourd'hui, plus rien ne sera comme avant car le monde est en perpétuel devenir, et il n'y a rien de plus extraordinaire que ce jour, cette heure, cette minute, cette seconde que vous vivez. Chaque instant vous donne en effet la possibilité de changer votre vision des choses.

Ainsi vous verrez par exemple que la danse est circulaire plutôt que linéaire. Même s'il semble y avoir des points fixes de commencement et de fin, il n'y a en fait que vous au centre, là où la folie du monde ne peut pas entrer, tandis que la vie se déroule (y compris votre naissance, votre mort et votre renaissance) au rythme d'une respiration lente et régulière. Les changements de décor et de comédiens, les entrées et les sorties sur la scène ne sont que des effets spéciaux, et tout ce que vous avez à faire, c'est vous mettre dans la peau des personnages que vous incarnez.

Je ne prétends pas détenir la vérité absolue et vous êtes libre d'adhérer à mon point de vue ou de le rejeter. Mais le fait est que c'est moi qui écris ce livre et que c'est vous qui le lisez (cette fois en tout cas). Gardez toujours à l'esprit que vous pouvez puiser dans mon livre uniquement ce qui vous plaît et jeter tout le reste (c'est votre livre après tout, à moins que vous l'ayez emprunté).

Une dernière question : vous arrive-t-il de mettre de temps en temps votre esprit au repos ? d'être comme une plante ou un légume, libre de pensées, libre de désirs ?

Un conseil : faites une pause.

Libérez-vous de ne pas savoir comment nos organes contrôlent nos différents états d'esprit

7

Que ressentez-vous en ce moment ?

Cette question vous laisse-t-elle perplexe ?

Essayez d'écouter, de regarder, de sentir ou de penser avec votre ventre. Laissez-vous aller un instant. Sentez-vous de la peur ? De la tristesse ? De l'agitation ? De la douleur ? De la peine ? Un mélange de sensations ? Peut-être rien du tout ?

Êtes-vous gêné de ressentir quelque chose ou de ne rien ressentir ? Êtes-vous gêné que je vous pose toutes ces questions alors que je suis censé donner des réponses ?

Quand j'étais jeune homme, je me souviens avoir dépensé une somme d'argent considérable pour des séances hebdomadaires chez une thérapeute peu ordinaire, Madame Shri. Nous progressions dans la thérapie lorsqu'elle en vint au thème des sensations. Cette fois-là quand j'arrivai chez elle, elle me demanda de m'allonger, de vider mon esprit et de me concentrer sur ce que je ressentais. Cinquante minutes plus tard, le son de sa voix m'arracha à mon sommeil : « la séance est terminée ».

« Mais nous n'avons même pas parlé », me lamentai-je avec la désagréable impression de m'être fait avoir.

« C'est à travers l'inconscient que l'on aborde le mieux ses sensations, et c'est ce que vous venez de faire. »

Je ne retournai jamais la voir, décidant que je travaillerais désormais seul sur mes sensations, au fond de mon lit et que cela ne me coûterait rien ! J'ai cependant tiré un enseignement de cette dernière séance avec Madame Shri : il faut être à l'écoute de ses émotions. Et après des années de pratique, je peux maintenant dire instantanément ce que je ressens. En ce moment, par exemple, mis à part le fait que je me sens frigorifié dans cette vieille grange soumise aux caprices féroces d'une tempête de neige celtique contre lesquels mes nombreuses couches de vêtements et le malheureux poêle fatigué par les ans ne peuvent rien, je peux dire que je ressens de la peur (d'être isolé au cœur de cette nature sauvage, humide et venteuse), un peu de nervosité (pour les mêmes raisons), une once de tristesse pour toute la souffrance inutile due à la cruauté de l'homme, un peu de chagrin quand je pense à ceux que j'aime et qui sont loin de moi, une légère frustration de ne pas être capable de penser et d'écrire plus vite, et enfin, une envie impalpable de je ne sais quoi (probablement de me trouver dans un avion volant vers une plage de sable fin baignée de soleil). La peur, néanmoins, est prédominante. Toutes ces sensations, je les perçois inconsciemment (du moins jusqu'à ce que je vous en parle) à la façon dont mon ventre se contracte.

Je ne lutte pas contre cette tension. Je ne fais que la constater et je m'efforce de respirer calmement pour que ma respiration masse mon ventre. J'évite ainsi que les sensations négatives s'installent définitivement et ne se transforment en énergie stagnante, ce qui me rendrait à coup sûr malheureux et m'empêcherait d'écrire, seule activité envisageable dans ce coin perdu au bout du monde.

À vous maintenant ! Que ressentez-vous ? Je vais m'installer une minute près du poêle pendant que vous écoutez, regardez et sentez avec votre ventre. Pendant que j'attends, je peux vous dire que ce sera drôlement bien dans quelques années, quand Mike aura fait réparer le chauffage central. Je dois aussi vous dire qu'en ce moment, le vent hurle sans relâche, qu'il fait froid, qu'il fait sombre, et qu'il n'y a pas âme qui vive à des kilomètres à la ronde exceptés six chevaux à moitié fous dans une prairie voisine, et que votre présence à mes côtés m'est d'un grand réconfort. J'espère qu'il en est de même pour vous.

Alors, que ressentez-vous ? (Confiez-vous à Oncle Barefoot).

En lisant cet ouvrage, vous comprendrez assez vite que chacune de nos sensations est intimement liée à l'énergie dégagée par cinq de nos organes : les reins, le foie, le cœur, la rate (et le pancréas) et les poumons. Dans l'immédiat, je ne vais vous donner qu'un avant-goût de comment tout cela fonctionne. Nous entrerons dans le détail plus tard.

Je ne me fais pas d'illusions, certains pousseront des cris d'horreur ou riront à gorge déployée en lisant ces lignes, notamment les adeptes de la médecine occidentale classique mais aussi ceux qui pratiquent la médecine orientale. Si vous faites partie de cette catégorie de gens, vous allez certainement penser que je raconte des bêtises, et vous aurez peut-être raison. Sachez néanmoins que ce sont des bêtises qui marchent et que vous devriez les essayer avant de tirer des conclusions hâtives. (Merci).

Nos cinq principaux organes vitaux sont associés aux différents éléments, terre, eau, feu, métal et bois. Ces organes sont reliés à des méridiens (circuits énergétiques) qui véhiculent l'énergie vitale à travers le corps, l'âme et l'esprit.

Les reins et la vessie correspondent à l'eau, le foie et la vésicule biliaire au bois, le cœur et l'intestin grêle au feu, la rate (associée au pancréas) et l'estomac à la terre, et les poumons et le gros intestin au métal.

Selon la loi des cinq éléments, l'eau fait pousser (les arbres notamment), le bois brûle pour faire du feu, le feu se calme pour faire les planètes (comme la Terre), et de la surface des planètes peut être extrait le métal. Le métal fond et redevient liquide.

En résumé, l'eau nourrit le bois, le bois nourrit le feu, le feu nourrit la terre, la terre nourrit le métal et le métal nourrit l'eau.

Inversement, le bois émousse le métal, l'eau éteint le feu, le feu fait fondre le métal, la terre confine l'eau (en formant des rivages et des stations balnéaires telles que Hossegor, Dinard ou Acapulco par exemple) et enfin, le métal coupe le bois.

Dans l'existence, tout passe par ces cycles, et votre capacité à tirer parti de la force cosmique du yin et du yang lorsqu'elle vous traverse (force à l'origine de la danse folle à laquelle se livrent les cinq éléments) dépend des forces et des faiblesses de vos organes et de la fluidité de l'énergie vitale (chi) qu'ils produisent et canalisent le long de leurs méridiens respectifs.

Par ailleurs, les organes déterminent la façon dont la danse s'exécute dans l'organisme, dans l'âme et dans l'esprit, et par extension, la façon dont les événements extérieurs se matérialisent dans notre vie.

Par exemple, si l'énergie dans les reins (élément eau) est faible, le foie souffrira (parce que l'eau nourrit le bois). Si l'énergie dans les poumons est trop vive (par exemple si vous fumez ou toussez beaucoup), le foie sera affaibli (le métal coupant le bois), et si l'énergie du foie est surchauffée (si vous buvez trop d'alcool, par exemple), l'énergie des poumons s'affaiblira (le bois émoussant le métal).

Vous l'aurez compris, le sujet est vaste, voire infini, et ne peut être maîtrisé qu'après des années de pratique. Mais avoir conscience de l'immensité de ce champ ne doit pas vous empêcher de comprendre et d'utiliser les formules fondamentales, et de les appliquer efficacement pour équilibrer votre flux d'énergie vitale. Vous parviendrez ainsi au bien-être émotionnel, spirituel, physique, sexuel, social et même financier. Vous me croirez quand vous verrez que vous traversez facilement et sans effort la rivière de mots qui se déroule devant vous.

En descendant cette rivière, c'est-à-dire pour les esprits pragmatiques en lisant cet ouvrage, vous remarquerez peut-être que les états d'esprit dont la libération passe par la stimulation de la rate ou des reins sont prépondérants. Vous trouverez peut-être cela injuste pour tous les autres organes. Le fait est que la rate et les reins sont souvent à l'origine des problèmes. Beaucoup de médecins orientaux pensent d'ailleurs que tous les problèmes peuvent être traités en ne s'occupant que de l'élément terre (c'est-à-dire l'estomac et la rate), estimant que si notre relation avec la planète est solide, nous avons une chance d'être solide à tous les niveaux. D'autres pensent que la guérison de tous les maux passe par les reins, considérant que l'eau (élément auquel les reins sont associés) est indispensable à la survie de la planète. D'après eux, si les reins sont équilibrés, notre vie a toutes les chances de l'être également.

Après vingt années de pratique, il me semble que les deux théories se valent, c'est pourquoi j'accorde une place prépondérante à la rate et aux reins. J'adresse toutefois toutes mes félicitations à votre cœur, à vos poumons et à tous vos autres organes pour le merveilleux travail qu'ils ont fourni jusqu'à présent, et je les encourage à persévérer dans cette voie le plus longtemps possible.

À présent, quelques exemples. Le sentiment de peur traduit souvent un refroidissement trop important des reins. Et si l'énergie des reins est froide et contractée, la peur ou l'anxiété surgissent. Par conséquent, si vous réchauffez vos reins, la peur (qui après tout n'est qu'une forme d'énergie) devrait disparaître ou du moins, cesser d'occuper le devant de la scène. Si tout vous énerve au point que vous avez envie de partir en guerre contre tout et tous, peu importe que vous vous retrouviez aussi seul que le premier homme sur Terre, vos reins sont probablement trop chauds et ont besoin d'être rafraîchis avant que vous ne déclenchiez la troisième guerre mondiale.

Les reins commandent la volonté de survivre. Ils doivent donc être correctement équilibrés pour que vous puissiez utiliser cette volonté à son maximum sans porter atteinte aux autres. Ils correspondent à l'élément eau et contrôlent généralement le flot d'énergie qui entre et sort de votre vie.

Colère, frustration ou crise d'autoritarisme traduisent généralement une surchauffe du foie, tandis que dépression et timidité sont plutôt synonymes d'un foie froid, contracté et insuffisamment irrigué. Le foie abrite la part « sauvage » de votre être, part qui a besoin, pour être satisfaite, de s'exprimer régulièrement, notamment à travers la danse, la socialisation, l'exercice physique et les échanges conviviaux. Si vous négligez d'alimenter cette part sauvage, notamment en ne pensant qu'au travail, vous allez déprimer. Le foie gère aussi votre personnalité apparente, celle qui cache le côté sauvage. Le foie détermine le degré d'introversion ou d'extraversion. Quand l'énergie du foie est chaude et pleine de sang, la grandiloquence et l'autoritarisme apparaissent. Mais quand elle est froide et insuffisamment irriguée, la nonchalance et la mollesse prennent le dessus.

Le foie (qui correspond à l'élément bois) détermine aussi la croissance et le développement personnel, de même que le degré de stagnation et d'entropie.

Les sentiments d'exaltation et de grande joie traduisent une énergie cardiaque particulièrement équilibrée. Toutefois, quand on se sent fou de joie au point de ne pouvoir s'empêcher de rire bêtement et de glousser sans cesse et sans raison apparente (au risque de passer pour un simple d'esprit), c'est que l'énergie du cœur est en surchauffe.

C'est l'énergie vitale du cœur qui dessine le paysage de notre esprit et qui contrôle la vitesse de circulation des pensées. Quand l'esprit s'emballe ou que l'on souffre de folie des grandeurs et d'orgueil démesuré ou que l'on fait des rêves complètement fous ou troublants, cela exprime généralement une énergie cardiaque surchauffée. En revanche, si tout ce qui traverse votre esprit vous trouble ou vous rend pessimiste et que l'inconnu vous fait perdre tout courage, c'est que l'énergie de votre cœur est trop froide.

Le cœur correspond à l'élément feu, d'où cette petite étincelle qui s'allume dans votre regard quand vous êtes amoureux. Le cœur contrôle évidemment les sentiments d'amour, d'affection et de passion.

Quand vous vous sentez mécontent, défavorisé, isolé, triste ou mélancolique, et que vous ressassez sans cesse les mêmes choses, c'est que l'énergie vitale de votre rate est froide et détrempée. Mais si votre amour-propre prend toute la place, si vous êtes content de vous au point de ne plus être capable de compatir à la douleur d'autrui, si vous placez votre intelligence bien au-dessus de la moyenne et si vous vous sentez relié au monde au point de croire que vous pouvez le gouverner, c'est que votre rate est trop chaude et trop sèche.

La rate correspond à l'élément terre. Elle contrôle généralement les facultés intellectuelles et la manière dont vous vous débrouillez pour gagner votre vie, de même que votre capacité à entretenir et maintenir votre infrastructure personnelle en bon ordre de marche.

Si vous vous sentez nostalgique, que vous pleurez le passé et que vous manquez d'inspiration et d'imagination pour le présent, c'est que l'énergie de vos poumons est faible et froide. Si votre situation actuelle vous ennuie profondément et vous rend nerveux au point que vous ne cessez de vous projeter dans le futur (un futur parfois très lointain), ou si votre imagination déborde, c'est que l'énergie de vos poumons bouillonne et surchauffe. En revanche, si l'énergie de vos poumons est équilibrée, vous ne vivrez plus ni dans le passé ni dans le futur mais ici et maintenant.

Les poumons correspondent à l'élément métal et contrôlent le rythme de vie en général.

Voilà, vous savez tout. Évidemment, j'ai résumé d'une façon un peu simpliste un concept complexe mais, à moins que vous aimiez les guides indigestes de médecine chinoise, je pense que vous serez d'accord pour que nous en restions là pour l'instant.

L'essentiel, c'est que vous sachiez que vous pouvez dès aujourd'hui avoir une action sur vos états d'esprit, simplement en agissant sur l'énergie qui circule dans vos organes vitaux – quelles que soient les circonstances extérieures. Vous atteindrez ici l'harmonie énergétique et vous vous direz : Waouah, la vie est une sacrée belle aventure !

Vous libérerez ainsi une masse de force vitale (énergie), autrefois prisonnière, que votre corps pourra ensuite utiliser pour renforcer votre système immunitaire et soigner toutes sortes de maux.

Libérez-vous de votre ignorance de l'énergie

8

Quelle est cette énergie, cette force vitale à laquelle je fais sans cesse allusion ? Pour être franc, il serait plus simple de se demander ce qu'elle n'est pas ; mais bon, je vais quand même essayer de répondre à votre question.

Notre univers est composé d'énergie active ou latente (latente en ce sens qu'elle est retenue à l'intérieur d'objets apparemment inertes mais qui sont en fait des masses d'énergie se déplaçant plus lentement).

L'énergie est intelligente.

L'énergie est en perpétuel mouvement.

L'énergie s'écoule inlassablement, partout où elle peut. Plus elle est entravée, plus elle s'écoule lentement, mais elle continue de s'écouler, comme l'eau.

L'énergie circule à travers tout votre corps.

Lorsque vous concentrez votre esprit sur l'énergie, elle se développe.

Le développement de l'énergie permet de se soigner, de se défendre, et parfois même d'accomplir de vrais miracles tels que réaliser un vœu ou le vœu de quelqu'un d'autre.

Là où va votre esprit, votre énergie va. Cela est vrai à l'intérieur de l'organisme comme à l'extérieur. Si vous pensez à votre foie (sous les côtes, à droite, normalement), votre énergie va se loger à cet endroit. Si vous pensez à quelqu'un (avec suffisamment de conviction), votre énergie va aller vers cette personne. Je dis votre énergie, mais en fait il s'agit simplement d'énergie. Comme l'air, l'énergie appartient à tout le monde.

Là où va votre énergie (dans votre organisme), le sang suit, et la guérison peut commencer.

L'énergie circule dans le corps grâce à un réseau de douze canaux ou méridiens énergétiques. Chacun de ces canaux est relié à un organe distinct. Il existe en outre huit canaux « parallèles » qui relient le physique au spirituel.

À partir de maintenant, j'utiliserai le plus souvent le mot « chi » pour désigner l'énergie vitale (c'est plus rapide à écrire). Le chi peut également s'écrire « qi ». Quoi qu'il en soit, considérez que ces termes veulent dire exactement la même chose.

Inutile de dire qu'en désobstruant vos canaux énergétiques intérieurs, la libération au sens le plus large du terme pourra se produire.

Alors mettons-nous au travail…

LA LIBÉRATION PROPREMENT DITE

Libérez-vous de la peur de l'échec

9

La peur de l'échec est en nous dès le commencement ; elle puise probablement son origine dans le cri d'agonie des milliards de spermatozoïdes battus sur le fil par le petit chanceux qui appuie sur le bouton « marche » et s'amarre finalement au vaisseau maternel (l'ovule).

La notion d'échec peut concerner beaucoup de domaines, mais elle évoque le plus souvent la misère, la faim, la noyade, l'asphyxie, le manque d'amour, de respect ou de reconnaissance, la solitude, l'exclusion, la laideur, la médiocrité et l'immaturité.

La peur de l'échec se manifeste de deux manières : la fuite ou la course à la réussite. En général, les deux manifestations se mélangent : l'individu se tue à la tâche tout en rêvant à un moyen de s'échapper. Je pense notamment au bourreau de travail qui s'épuise à son bureau sans relâche du lundi au vendredi, qui se saoule le samedi soir pour se détendre, et qui vole vers des îles lointaines une fois, deux fois, voire trois fois par an, ah j'oubliais de dire qu'il trime comme un malade pour se payer une retraite décente. Après tout, ce comportement est parfaitement normal ; chacun est libre de se détruire plus ou moins subtilement, de se maintenir dans un état d'angoisse perpétuelle, d'entretenir un léger alcoolisme chronique tout en rêvant d'îles désertes, et de s'imposer de temps en temps un voyage expiatoire du style « trekking au Népal ». Mais il faut savoir qu'au final, ce type de vie bascule dans un extrême ou dans l'autre, et entraîne un stress excessif, la maladie, voire la folie.

N'essayez pas de lutter contre la peur de l'échec. Ce serait un peu comme si vous essayiez de vous donner un coup de pied. Vous sortiriez de cette lutte blessé, fatigué, et encore plus angoissé par l'échec qu'avant.

Pour se libérer de la peur de l'échec, il faut d'abord l'accepter. Ensuite, il faut l'accueillir pour les bienfaits qu'elle apporte, et finalement, il faut la réabsorber sous sa forme énergétique brute, dans les reins où elle est née (et où naissent toutes les peurs) et où elle pourra être rapidement transformée en énergie positive, laquelle servira à alimenter votre succès.

Commencez donc par accepter votre peur de l'échec en répétant la formule suivante (ou une autre formule plus à votre goût, pourvu que le sens soit le même) :

> *« Je suis maintenant prêt (e) à accepter cette peur de l'échec, à l'accueillir pour les bienfaits qu'elle apporte (comme me tirer hors du lit le matin), à la réabsorber sous sa forme énergétique et à la transformer en courage et en confiance dans ma réussite – dans ma volonté de réussir. »*

Avant de poursuivre, ancrons cette formule dans le monde physique à travers l'action volontaire la plus fondamentale : la respiration, et en particulier, l'expiration. L'expiration est le premier acte de lâcher prise – sachant que sans lâcher prise, il ne peut y avoir de libération – en expirant, vous expulsez de vos poumons l'air confiné du passé, et vous vous libérez en même temps de toute l'énergie négative que vous avez accumulé.

Commencez par vider complètement vos poumons, en imaginant que l'air expulsé transporte l'énergie négative associée à la peur de l'échec. Ensuite, inspirez, et imaginez que l'air neuf que vos poumons absorbent contient l'antidote : la volonté de réussir. Répétez la procédure au moins neuf fois d'affilée, jusqu'à vous sentir pratiquement hypnotisé.

Le plexus solaire, dans la partie supérieure de l'abdomen, est l'endroit du corps où sont expérimentées toutes les sensations,

notamment la peur. Concentrez vos pensées sur cette partie de votre organisme et essayez de percevoir la peur de l'échec en tant que sensation physique. Ne soyez pas gêné de la ressentir. Ressentez-la, c'est tout. N'essayez pas de la masquer ni de la transformer. Soyez avec elle et continuez de l'expulser hors de vos poumons. Expirez la peur, inspirez l'antidote.

Passez ensuite à l'étape des remerciements : remerciez la peur pour tous les bienfaits qu'elle apporte – principalement, la volonté de réussir – et dites : « Peur-de-l'Échec : merci ! » Poursuivez tandis que la Peur est encore sous le charme de vos flatteries :

> *« Je n'ai plus besoin que tu joues un rôle aussi prédominant sur ma scène intérieure. Je te demande par conséquent de te retirer dans les coulisses. Volonté-de-Réussir prendra désormais ta place. »*

Peur-de-l'Échec sera bien sûr un peu triste d'être ainsi mis à l'écart, mais c'est vous le metteur en scène et vous avez le dernier mot. Laissez-la être triste et laissez la tristesse vous traverser comme une vague.

La peur, en particulier la peur de l'échec, de la maladie (une forme d'échec) et de la mort (l'échec ultime), survient quand l'énergie rénale est faible. Cette faiblesse peut être héréditaire ou découler d'un problème (héréditaire ou non) de nervosité ou d'angoisse chronique, ou bien encore faire suite à une période de stress intense. Quand un ou plusieurs problèmes surviennent, la zone autour des reins se contracte, le flux sanguin et énergétique ralentit, l'énergie néfaste (celle de la peur) se développe et la tension s'installe dans la partie supérieure de l'abdomen. Dans le cas qui nous intéresse, l'énergie néfaste est celle de la peur de l'échec.

En incitant cette constriction à se relâcher, sur le plan physique et énergétique, et en favorisant ainsi la circulation dans les reins, l'énergie néfaste pourra se dissiper et être automatiquement remplacée par son antidote, la volonté de réussir.

Pour obtenir un effet dès maintenant, frottez énergiquement le bas de votre dos avec les poings, de part et d'autre de la colonne. Dès que la chaleur se fait intense, faites-la pénétrer en posant les mains à plat sur les reins. Au fur et à mesure que la chaleur s'infiltre, essayez de visualiser la décontraction qui s'opère dans toute la région des reins.

Pendant ce temps, continuez d'expirer votre peur et d'inspirer votre volonté de réussir, mais cette fois, à travers les reins, de sorte qu'à chaque expiration, vous ayez la sensation d'extraire la peur de l'échec de vos reins, et qu'à chaque inspiration, vous y inspiriez la volonté de réussir.

Enfin, appuyez fortement sur votre sternum pour extraire du courage de votre cœur et, ce faisant, déclarez :

« Maintenant, je souhaite réussir. En fait, j'ai tellement envie de réussir que je vais probablement ressentir une énergie dévorante. »

Refaites tout l'exercice depuis le début, scrupuleusement, trois jours de suite, dès que vous sentez la peur vous envahir, et d'ici 50 à 60 ans, grand maximum, vous serez définitivement débarrassé de la peur de l'échec.

Libérez-vous de l'apitoiement sur vous-même

10

L'apitoiement sur soi est insidieux. Il arrive par-derrière, plonge sur vous sans que vous vous en aperceviez et commence à miner votre énergie. Une fois installé, il est difficile de s'en débarrasser définitivement. Comme la mauvaise herbe, il faut sans cesse l'arracher.

Et dès que vous relâchez votre surveillance, il vous saute dessus et vous empoigne à nouveau.

L'apitoiement sur soi n'a pas grand-chose à voir avec l'environnement ou la situation dans laquelle on se trouve. Il peut vous envahir alors que vous vous sentez bien, dans un cadre agréable, avec autant de violence que si vous vous étiez trouvé dans un endroit sordide, le moral à zéro.

Heureusement, on le sent toujours arriver. D'abord, on s'aperçoit que l'on ne se sent plus bien. Ensuite, on a envie d'être ailleurs, en général en compagnie de quelqu'un d'autre (autre que la personne avec laquelle on se trouve), et de faire quelque chose de différent (ou différemment). Puis le corps se crispe à force de résister à ce qui lui arrive.

Peut-être lisez-vous ces lignes en prison, à l'hôpital ou dans la rue si vous êtes sans domicile fixe... Peut-être faites-vous un travail que vous détestez. Peut-être vivez-vous avec quelqu'un que vous ne supportez plus. En un mot, peut-être estimez-vous être parfaitement en droit de vous apitoyer sur vous-même. Mais y gagnez-vous réellement quelque chose ? Je m'explique : je sais que c'est bon de gémir de temps en temps même s'il n'y a personne pour vous entendre, mais à vous complaire dans votre marasme au lieu d'essayer d'en sortir, vous anesthésiez votre potentiel réactif pour ne voir de la vie que ses aspects négatifs.

En ce moment, j'ai personnellement un peu de mal à ne pas m'apitoyer sur mon sort... Ce feu qui ne veut pas démarrer, le petit bois d'allumage qui reste désespérément humide, l'air froid et moite qui glisse le long de la colline jusque dans la grange... L'isolement dans lequel je me trouve... Le désespoir arrive toujours par vagues et peut être déclenché par un rien, comme par exemple le feu qui s'étouffe dans le poêle. Je me sens visé, comme si le poêle ne m'aimait pas et s'éteignait exprès.

L'apitoiement sur soi apparaît toujours masqué, comme un virus informatique, un e-mail avec une pièce jointe détaillant mille et une bonnes raisons de retourner à la ville avec sa couverture téléphonique étendue, son chauffage central et ses lits secs et chauds.

Mais je remarque que quand je fais le grand garçon courageux, par exemple en m'acharnant sur le poêle pour lui arracher une flamme respectable alors que je préférerais de loin être en train de travailler ou dehors dans le crachin à faire quelques mouvement de gymnastique chinoise pour me réconcilier avec la magnificence du paysage, eh bien mon amour-propre reprend des forces et je suis heureux de remettre à plus tard mes projets d'évasion.

Au fait, je vous promets que les anecdotes personnelles que je vous raconte au fil des pages ne transformeront pas cet ouvrage en un de ces horribles guides pratiques californiens où l'auteur raconte sa vie insipide, en alignant des anecdotes plus ennuyeuses et inintéressantes les unes que les autres au point de décourager le lecteur le plus motivé.

La première chose à faire pour se libérer de l'apitoiement sur soi, c'est de le voir arriver.

Ensuite, il s'agit de garder son sang-froid ; ne l'insultez pas et ne lui demandez pas avec virulence de partir sur le champ car ça pourrait le fâcher. L'apitoiement sur soi est beaucoup plus intelligent et puissant qu'on ne pense ! Soyez plutôt bienveillant et déclarez, main sur le cœur : « *Cet apitoiement sur moi ne me pose aucun problème tant que je le trouve agréable* ».

Cette attitude aura pour effet de désorienter l'Apitoiement-sur-Soi et de montrer qui est le chef et qui décide. En ce qui me concerne, je n'ai rien à gagner à ne pas apprécier ma présence

ici, même si les conditions sont difficiles. Je n'ai donc aucun intérêt non plus à souhaiter être ailleurs, ni à vouloir inviter quelqu'un pour me tenir compagnie alors que je n'ai aucun signal sur mon portable. Par conséquent, plus vite on choisit de se libérer de l'apitoiement sur soi, mieux cela vaut pour tout le monde, y compris pour l'Apitoiement-sur-Soi qui est alors libre d'aller là où il lui sera fait un meilleur accueil.

L'apitoiement sur soi, comme tout sentiment de manque ou de privation, semble apparemment provoqué par les circonstances extérieures, en réalité il résulte d'une faiblesse de la rate. La rate est chargée de s'assurer que l'on est suffisamment nourri. Pas seulement de ce qui se mange mais aussi de ce qui se vit. Donc, quand la rate est bien réglée, on se sent satisfait quelles que soient les circonstances, et lorsqu'elle est dérangée, on se sent insatisfait même dans une chambre d'hôtel luxueuse, propre et bien chauffée.

Pour stimuler l'énergie de la rate de manière à atteindre un équilibre, commencez par enfoncer le bout des doigts de la main droite sous les côtes à gauche de l'abdomen. Aidez-vous de la main gauche pour appuyer davantage et poussez jusqu'à ce que vous ayez le souffle légèrement coupé. Maintenez la pression tout en respirant régulièrement, profondément et calmement. Essayez de vous détendre au maximum. Continuez de presser jusqu'à ce que vous ne teniez plus puis relâchez la pression lentement et progressivement en remettant vos mains là où elles étaient avant, probablement sur ce livre.

Ensuite, repérez la bosse saillante à l'intérieur du pied, à la base du gros orteil – là où on développe parfois un oignon. Pressez la bosse à l'endroit où la peau rugueuse de la plante du pied rencontre la peau plus tendre du dessus du pied, à l'extrémité la plus proche de vous, soit avec un petit instrument pointu (le bout d'un stylo, par exemple), soit avec le pouce, en recherchant le point le plus sensible. Maintenez la pression quelques instants. Une pression quotidienne à cet endroit précis encourage la rate à extraire davantage d'énergie de son élément, la terre en dessous des pieds.

Rate 3

Enfin, tenez-vous debout, les pieds bien à plat sur le sol (avec ou sans chaussures), les orteils écartés autant que possible, comme si des milliers de racines sortaient de la plante de vos pieds vers le centre de la Terre. Gardez cette image des racines très nette dans votre esprit (et dans vos pieds), et dites :

« Je suis le roi (ou la reine) de n'importe quoi ! »

Libérez-vous de l'inertie

11

Par moments, vous êtes une pierre parfaitement lisse dévalant sans heurts d'une montagne. À d'autres moments, vous êtes un caillou rugueux coincé dans une fissure, incapable de bouger d'un centimètre. Évidemment, vous préférez être une pierre bien lisse, mais parfois, c'est plus fort que vous, vous êtes paralysé, incapable de vous motiver pour faire la moindre chose.

Tout commence dans la tête. Les pensées se brouillent progressivement et se bloquent dans les recoins de l'esprit. Bientôt, l'énergie suit le même chemin, et vous vous figez, un peu comme une rame de métro bondée qui s'immobilise dans un tunnel, derrière trois autres rames.

Comme tout ce qui est vivant bouge, et tout ce qui ne l'est pas reste immobile, on peut raisonnablement affirmer que le mouvement est bon pour la santé. Pas seulement le mouvement dans l'espace et dans le temps mais aussi le mouvement ou la progression dans le développement personnel, la recherche créative, les relations personnelles et les projets professionnels.

Si cette apathie dont vous êtes de temps en temps la proie vous inquiète, concentrez-vous immédiatement sur ce qui bouge en vous : votre cœur qui bat, votre sang qui circule. Pensez à votre estomac qui transforme la nourriture, à vos intestins qui trient, filtrent et produisent des déchets, à vos reins qui font de même avec les liquides, à votre foie qui purifie votre sang, à vos glandes qui produisent des sécrétions, et même à vos globes oculaires qui ne cessent de bouger alors que vous lisez ces lignes. Vraiment, vous êtes tout sauf immobile. Et lorsque vous aurez pris conscience de toute cette activité intérieure, le mouvement s'amplifiera jusqu'à ce que vous ayez envie de vous lever et de faire quelque chose.

Mais retenez-vous quelques instants encore.

Restez où vous êtes et respirez calmement et régulièrement, les épaules parfaitement détendues, sans effort ni tension. Tenez ce livre dans la main gauche et levez lentement le bras droit, le coude légèrement plié et la main ouverte, jusqu'à hauteur de la poitrine, la paume tournée vers la gauche. À présent, relâchez les muscles du bras et déplacez-le lentement de droite à gauche et de gauche à droite, toujours à hauteur de la poitrine, comme si vous remuiez la main dans l'eau. Effectuez ce mouvement neuf fois. Prenez ensuite le livre dans votre main droite et refaites l'exercice avec le bras gauche.

Si vous avez ressenti une agréable sensation de plénitude dans la paume des mains, c'est que de l'énergie a circulé. Savourez le relâchement dans les épaules et dans les bras pendant que vous rabaissez lentement les mains. Et lorsque vous vous remettez en mode « lecture à deux mains », dites-vous : « Je détiens le pouvoir de bouger à ma guise ».

On dit que cette volonté de bouger « vit » dans le foie. Le foie est responsable de la motivation. Or lorsqu'elle est fermement bridée par l'inertie, l'énergie du foie stagne. En rétablissant le flux, l'inertie se dissoudra toute seule.

Observez le dessus de votre pied et repérez l'endroit où l'os du gros orteil s'articule à l'os du pied. La petite dépression formée à cet endroit constitue le point source du méridien du foie. Enfoncez fermement le bout de l'index dans la dépression jusqu'à ce que vous ressentiez une légère douleur. Vous pouvez aussi utiliser un petit instrument pointu tel que la pointe arrondie d'une aiguille à tricoter. Maintenez la pression quelques instants, relâchez, et répétez l'opération sur l'autre pied.

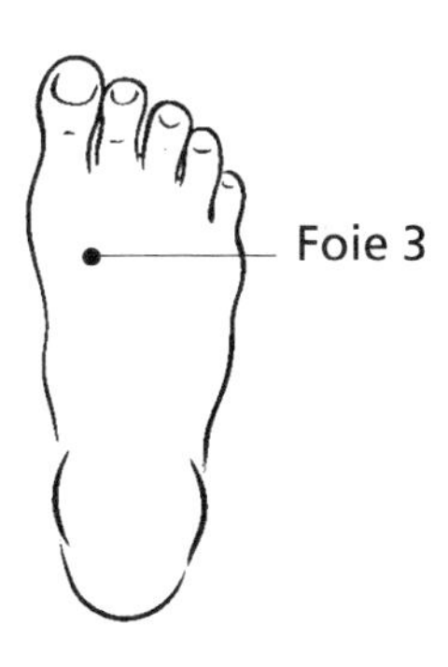

Ce petit exercice aidera votre foie à extraire davantage d'énergie de son élément, le bois, et à construire l'environnement favorable au développement de la motivation.

Sur le plan musculaire, ceux qui pratiquent le taï chi et, ou d'autres arts martiaux disent que la motivation trouve son origine dans les muscles de l'avant des cuisses : les quadriceps. En favorisant la circulation sanguine et en stimulant le flux énergétique dans les quadriceps, on activerait donc la motivation.

Tenez ce livre entre vos dents (je plaisante !) ou posez-le sur un support proche, serrez les poings et frappez sur vos cuisses (comme sur un tambour) pendant environ une minute, en montant et en descendant le long des cuisses.

Quand vous aurez terminé et que vous vous remettrez en mode « lecture » tout en savourant l'agréable sensation provoquée par la circulation du sang et de l'énergie dans vos cuisses, déclarez :

« Je suis maintenant envahi d'une motivation dévorante ! »

Libérez-vous de la solitude

12

Nous pouvons tous affronter la solitude. Vous pouvez rester assis au sommet d'une montagne pendant plusieurs jours sans vous sentir seul. Peut-être vous ennuierez-vous, peut-être vous demanderez-vous ce que vous faites là, mais vous ne vous sentirez pas forcément seul.

De la même façon, vous pouvez vous sentir seul chez vous alors même que vous êtes entouré de ceux que vous aimez. Être seul n'est pas forcément synonyme de solitude.

La solitude survient lorsqu'on perd le sentiment d'être relié au monde et à ses six milliards d'habitants.

Le sentiment de solitude naît lorsqu'une quantité insuffisante d'énergie circule dans la poitrine. Cela entraîne une contraction des muscles reliés au sternum, destinée à vous protéger contre la douleur engendrée par l'isolement.

Lorsque vous vous sentez seul, vous avez besoin d'une bonne grosse étreinte, d'une accolade sternum contre sternum pour attendrir votre poitrine et faire pénétrer en vous un peu de chaleur humaine. Je m'en chargerais bien, mais je suis malheureusement occupé… Donc, dans la mesure du possible, trouvez quelqu'un de fiable et de chaleureux, et étreignez-le. Si c'est impossible parce que vous êtes géographiquement isolé ou parce que vous êtes bloqué dans un train bondé, entouré d'étrangers, vous allez devoir vous débrouiller seul.

Tenez le livre entre vos dents (je plaisante à nouveau !) ou posez-le sur un support et serrez-vous étroitement dans vos bras en disant : « *Je vais bien, je vais bien* ». Ensuite, prenez le livre dans votre main gauche, posez la paume de la main droite bien à plat au centre de votre poitrine et faites-la tourner lentement, dans le sens des aiguilles d'une montre, de façon à ce que les muscles de la poitrine « tournent » sur le sternum. Effectuez ce mouvement neuf fois, et à chaque tour, prononcez un des mots de la phrase suivante :

> « *Je… suis… toujours… exactement… là… où… je… dois… être.* »

L'énergie que vous activez dans votre poitrine en effectuant cet exercice est celle du maître cœur et, paradoxalement, c'est une énergie qui ne circule que lorsqu'on est détendu et que l'on n'es-

saie pas de se mettre à l'abri sur un plan affectif. En d'autres termes, pour être parfaitement protégé d'un point de vue énergétique et ne pas ressentir la douleur de l'isolement, il faut accepter d'être vulnérable.

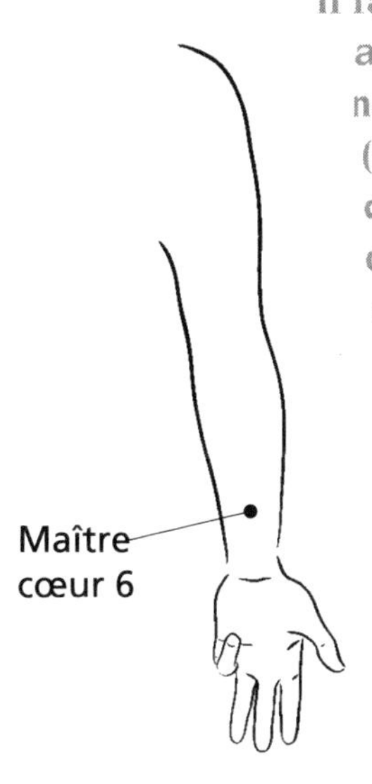

Il faut bien sûr du courage pour laisser cette vulnérabilité s'infiltrer. Or, pour avoir du courage, il est nécessaire que l'énergie du maître cœur circule (rappelons que le mot courage est issu du mot cœur). Pour vous aider, repérez le point entre les deux tendons à l'intérieur de l'avant-bras, environ 5 cm au-dessus du pli de flexion du poignet.

Enfoncez fermement le pouce à cet endroit précis jusqu'à ce que vous ressentiez une douleur et que votre main soit comme paralysée. Maintenez la pression pendant environ une minute puis répétez l'exercice sur l'autre bras.

Maintenant dites-moi... : vous êtes-vous senti seul pendant que vous faisiez cet exercice ?

Supposez maintenant que vous êtes relié par des fils de lumière invisibles, à tous les gens qui, sur cette planète, partagent votre vision des choses et qui sont ou qui pourraient être vos amis (voire vos amants ou maîtresses) et dont la compagnie vous sortirait de votre solitude.

Imaginez que vous envoyez de l'énergie dans tous les fils à la fois, un peu comme si vous envoyiez un e-mail collectif, et que tous les gens reliés à vous sur la planète s'illuminent un à un, avec à chaque fois une petite voix qui annonce : « vous avez un message ». Appelez ensuite (intérieurement) tous ces gens et déclarez :

> *« Vous qui partagez ma vision des choses, je suis prêt (e) à me relier à vous dans le temps et dans l'espace ! Faisons-le avant que je ne perde la raison ! »*

Ensuite, attendez quelques jours (plus longtemps si vous êtes géographiquement isolé et que vous n'avez aucune chance de rencontrer un seul être humain à des kilomètres à la ronde) et sans même que vous ayez à fournir un effort, vous nouerez à nouveau des contacts avec des gens sincères. Votre solitude ne sera alors plus qu'un mauvais souvenir.

Libérez-vous du doute

13

Douter de soi, c'est très bien si on aime ça, mais je vous assure que c'est bien plus agréable d'avoir confiance en soi.

Lorsque vous doutez de vous, vous provoquez en fait une fuite d'énergie au niveau des reins, laquelle affaiblit votre réaction immunitaire et vous expose à toutes sortes de faiblesses physiques ou psychiques. Quand vous êtes confiant, vos reins se détendent, vous cessez de faire pipi tout le temps, votre libido augmente et vos réactions immunitaires se renforcent. En dynamisant l'énergie dans vos reins, en particulier en la réchauffant, vous vous sentirez moins hésitant et plus sûr de vous.

Nous parlons ici de confiance, de foi en soi, ce qui nécessite une sorte de dialogue interne entre la partie de vous-même qui mène le jeu et celle qui doute.

Focalisez votre esprit sur l'instant où le spermatozoïde de votre père s'est implanté avec succès dans l'ovule de votre mère et où vous, grâce à la multiplication exponentielle des cellules, avez pu grandir et vous frayer un passage jusqu'au dehors. Une fois à l'extérieur, vous avez appris l'alimentation, la digestion et l'élimination, vous avez découvert le champ de mines affectif que constitue le foyer familial, puis vous avez été confronté à l'agitation d'abord du jardin d'enfants, puis de l'école et enfin du monde professionnel, et ainsi de suite jusqu'à ce jour.

Il est temps que vous reconnaissiez que vous avez parcouru un bon bout de chemin ! Alors dites à cette partie de vous-même qui doute : « *J'en ai déjà parcouru du chemin, tu ne trouves pas* ? *Alors maintenant, compte sur moi pour nous emmener là où nous devons aller* (*peu importe où*), *en toute sécurité* ! » Vous pouvez aussi regarder cette partie de vous qui doute droit dans les yeux et lui dire : « *Tais-toi* ! » Quelle que soit la manière, démocratique ou dictatoriale, vous devez prendre le contrôle immédiatement.

Commencez par calmer et réchauffer vos reins. Tenez ce livre entre vos dents ou posez-le sur un support, remplissez une bouteille d'eau chaude et appliquez-la contre la partie inférieure de votre dos, par pressions successives (pas plus de 36 fois). Déposez ensuite la bouteille, et avec le dos des mains, frottez énergiquement cette même zone des reins pour la réchauffer.

Ensuite, écartez les pieds d'environ 30 cm comme si vous enjambiez une voie ferrée très étroite. Laissez votre buste descendre lentement sans forcer sur le dos, jusqu'à ce que vous ressentiez une tension à l'arrière des jambes. Détendez-vous dans cette position en vous efforçant d'étirer la colonne vertébrale. Savourez l'étirement dans vos tendons et la sensation de chaleur et d'ouverture dans vos reins, et dites : « Je me rends ».

Redressez-vous en « déroulant » lentement la colonne vertébrale. Répétez ensuite :

> « *J'ai confiance en moi, j'ai confiance en moi, j'ai confiance en moi, j'ai confiance en moi, j'ai confiance en moi, j'ai confiance en moi, j'ai confiance en moi, j'ai confiance en moi, j'ai confiance en moi, j'ai confiance en moi, j'ai confiance en moi, j'ai confiance en moi.* »

Ressassez ce refrain pas plus de trois jours d'affilée, temps au bout duquel vous aurez tellement confiance en vous que vous vous sentirez capable de déplacer des montagnes.

Et si vous doutez de cela, retournez au début de ce chapitre et relisez-le.

Libérez-vous de la timidité en société

14

Vous êtes invité à une réception où vous ne connaissez quasiment personne, voire personne, et dès votre arrivée, vous vous sentez affreusement mal à l'aise. Tant pis, soyez timide. Lorsqu'elle est assumée avec dignité, vulnérabilité et authenticité, la timidité a beaucoup de charme.

La timidité n'est rien d'autre qu'une peur irrationnelle d'être rejeté ou humilié par des gens qu'on ne connaît pas.

La peur en général survient lorsque l'énergie dans les reins est froide et faible. La timidité en particulier se manifeste lorsque l'énergie du foie surchauffe. Il en résulte un ralentissement de l'activité sanguine dans cet organe qui gère la force de votre personnalité. L'énergie du foie surchauffe lorsque l'énergie dans les reins refroidit sous l'action d'une tension, due soit à une maladie, un mode de vie stressant, un climat froid et humide, des règles douloureuses, une angoisse ou une peur chronique, le recours excessif à des drogues douces, au café ou à l'alcool, ou un cumul de plusieurs de ces facteurs (à l'exception des règles si vous êtes du genre masculin !)

Les reins, qui correspondent à l'élément eau, ont normalement pour mission de maintenir le foie (élément bois) à une faible température pour ne pas souffrir du feu dégagé par le cœur et ainsi raréfier le sang qu'il stocke et purifie.

« La façon la plus sûre de refroidir le foie consiste à boire au moins cinq tasses de thé à base de fleurs de chrysanthème séchées (vous en trouverez chez les épiciers asiatiques ou chez un herboriste). Préférez les fleurs séchées aux sachets de thé qui contiennent beaucoup de sucre. Pour augmenter rapidement le volume sanguin dans le foie, mangez une betterave rouge avant le déjeuner, en particulier les jours où vous êtes convié à une soirée.

Pour réchauffer l'énergie des reins, mangez un petit morceau de gingembre cru ou buvez une tasse de thé au gingembre chaque jour en fin d'après-midi, en particulier au cœur de l'hiver.

Trois fois par jour, enfoncez vos pouces à l'intérieur des chevilles, entre l'os de la cheville et le tendon d'Achille, jusqu'à ce que vous ressentiez une douleur vive, ce afin de stimuler le point source du méridien des reins et encourager ces derniers à extraire davantage d'énergie de leur élément (l'eau) ou de l'hu-

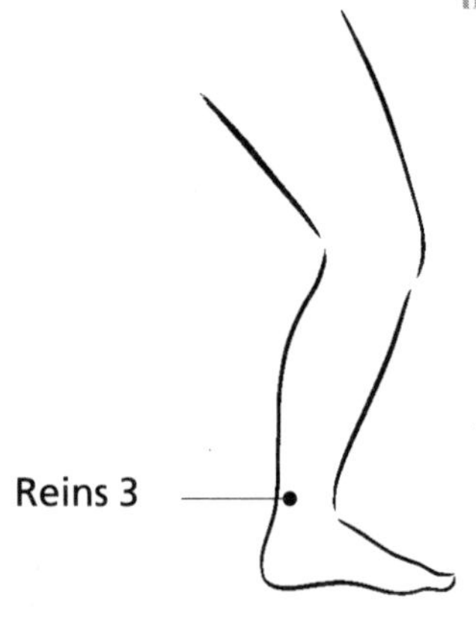

midité dans l'air. Maintenez la pression pendant environ une minute, puis relâchez et frottez énergiquement la zone des reins (bas du dos) avec le dos des mains, pendant une ou deux minutes.

Si vous réalisez ces exercices régulièrement, vous reprendrez confiance en vous et votre timidité s'estompera en quelques semaines. Ces effets peuvent être amplifiés en combinant autosuggestion, visualisation et stratégie sociale.

Tout en mâchouillant votre betterave, dites-vous :

« Je choisis maintenant d'être divertissant et agréable avec les autres, en particulier avec les gens que je ne connais pas. »

Ou plus simplement :

« Je suis très agréable en société, aussi bien avec les personnes que je connais qu'avec celles que je ne connais pas. »

Et tout en sirotant votre breuvage aux chrysanthèmes, visualisez-vous avec un puissant aimant dans la poitrine qui attirerait les gens sans que vous ayez à dépenser la moindre énergie. Imaginez-vous dans une réception, entouré de gens ravis qui vous dévorent des yeux, qui recherchent votre contact et qui boivent vos paroles. En d'autres termes, imaginez que vous avez un bon contact et un jour, vous aurez la surprise de constater que votre rêve est devenu réalité.

Je vais vous donner une stratégie en quatre points qu'il vous suffira d'appliquer dans n'importe quelle occasion, cocktails, soirées dansantes ou pas. Une fois que vous êtres sur les lieux de la fête, essayez ceci :

Au moment d'entrer, regardez dans les yeux les personnes à côté desquelles vous passez et celles à qui vous êtes présenté, et souriez-leur chaleureusement. Si vous êtes particulièrement gêné et que vous ne savez où poser les yeux, balayez la pièce du regard pour trouver l'endroit le plus approprié où vous asseoir, de préférence au cœur de l'agitation. Au bout d'un certain temps, les personnes autour de vous, en particulier celles avec lesquelles vous serez parvenu à entrer en contact visuel en auront assez de rester debout ou de danser, et seront attirées par vous, ne serait-ce que dans l'espoir de piquer votre chaise quand vous irez aux toilettes. En fait, ces personnes répondront inconsciemment aux vibrations positives que vous dégagez, grâce à cet aimant que vous aurez visualisé en permanence dans votre poitrine.

Dès que quelqu'un sera entraîné dans votre orbite, vous serez forcé d'entamer ou de participer à une conversation. Si vous ne trouvez pas vos mots, évitez de meubler le silence avec des fadaises. Maintenez le contact visuel avec la personne et posez-lui plutôt des questions simples : son signe astrologique, son âge, son lieu de naissance, son enfance, sa profession, ses ambitions dans la vie, ses passions. Repérez quelques qualités chez votre interlocuteur et mettez l'accent sur ces qualités. Parlez en toute sincérité, sans quoi votre discours sonnera faux. En fait, les gens vous trouveront intéressant si vous vous intéressez à eux.

Rassurez-vous, beaucoup de gens sont timides en société, en particulier lorsqu'ils ne connaissent personne, c'est l'une des raisons pour lesquelles l'alcool, voire la cocaïne sont utilisés comme lubrifiant social et circulent si facilement dans les soirées. Votre timidité ne fait pas de vous un phénomène de foire. Dites-vous bien que vous impressionnez autant les gens qu'ils vous impressionnent, même s'ils ont l'air sûrs d'eux. Une fois que vous aurez compris cela, vous serez capable de voir au-delà des masques et aurez de la compassion pour la condition humaine, y compris la vôtre.

Et maintenant, répétez après moi :

« Cela ne me pose aucun problème d'être timide, puisque je peux quand même avoir du succès. »

Libérez-vous de l'indécision

15

Assez étrangement, je ne sais comment commencer ce chapitre. Si seulement j'avais le pouvoir de le lire avant même de l'avoir écrit, je saurais quelle direction prendre. Mais déjà, j'ai jeté quelques mots sur le papier et petit à petit, le chapitre s'écrit de lui-même… Il ne me reste plus qu'à assister à son écriture.

C'est de cette manière, très exactement, que vous pourrez vous libérer de l'indécision.

En analysant le déroulement du processus d'écriture, on peut y voir un phénomène de prédestination (j'écris ce qui était déjà écrit) mais nul n'a jusqu'à ce jour (pas même les plus grands philosophes) pu dire si le destin, prédéterminant toute chose, était ou non une réalité. La fatalité de nos actions n'apparaît que rétrospectivement et l'on peut même douter de l'existence d'un quelconque libre arbitre.

On pourrait aussi dire que c'est le Tao qui provoque les événements en fonction d'une suite de causes et d'effets, puisant ses racines dans un passé infini.

Mais vous ne seriez pas plus avancé.

Selon les règles de la boxe chinoise, lorsque l'adversaire essaie de vous frapper au côté droit, plutôt que d'essayer de résister au coup, il faut l'accompagner en faisant pivoter le corps sur lui-même, dans le prolongement du coup. Le côté droit étant ainsi « vide », le coup de l'adversaire ne trouve pas de résistance et se vide de sa force. Dans le même temps, cette rotation du corps permet à votre bras gauche de renvoyer le coup dans l'autre sens, sur l'adversaire.

Bien qu'efficace, cette méthode requiert beaucoup de courage, car si l'on tourne un millième de seconde trop tôt, l'adversaire flaire le piège et change de tactique. Il faut donc attendre le tout dernier moment pour agir.

Imaginez que vous êtes visé par un missile… ce qui n'arrive pas tous les jours, je vous l'accorde. Mais si c'était le cas, vous devriez attendre le tout dernier moment avant de changer (extrêmement rapidement !) de cap de façon à ce que le missile fonce dans le mur plutôt que sur vous. Un quart de seconde trop tôt et le missile aurait tout le temps de changer de direction lui aussi ! Je reconnais que l'exemple que j'ai choisi est assez irréaliste, mais il sert à illustrer un point : si vous vous « videz » et que vous laissez la force des événements vous envahir jusqu'à l'oppression, en attendant courageusement jusqu'au dernier moment pour prendre une décision, vous n'aurez en fait plus de choix à faire. Pour résumer, vous aurez utilisé la force de l'événement qui arrivait sur vous pour vous propulser en avant.

Ce que vous devez savoir apparaît au moment précis où vous devez le savoir, pas une seconde avant (ni une seconde après). L'état d'indécision survient lorsque, n'ayant pas eu le courage d'attendre que la force des événements vienne à vous, vous essayez vainement de savoir de quoi cette force sera faite, gaspillant ainsi une énergie précieuse.

Mais en plus de requérir du courage, cette façon d'appréhender la vie nécessite une extrême vigilance, car il faut être capable de ressentir les changements même minimes et être prêt à agir sur-le-champ, à tout moment. Il faut donc être concentré, équilibré et suffisamment fort pour s'incliner devant les événements qui arrivent sur vous sans basculer ni chuter.

Alors, plutôt que de devenir fou parce que vous n'arrivez pas à vous décider, faites descendre votre esprit dans votre ventre, plus spécifiquement dans la zone des intestins, et attendez.

Tout comme votre intestin grêle trie parmi les aliments que vous ingurgitez ce qu'il faut garder et ce qu'il vaut mieux éliminer, il « décide » également de ce qui est bon pour vous et de ce qui ne l'est pas, distinguant la voie à suivre parmi toutes celles qu'il vaut mieux éviter dans la vie en général. J'aime cette expression, « la vie en général ». Quatre mots qui signifient à la fois tant et si peu de chose. Mais je m'égare. Cela dit, il n'y a aucune contre-indication à ce que nous bavardions un peu pendant que votre intestin décide de la direction que vous allez prendre…

En d'autres termes, vous n'hésiterez désormais plus parce que vos « tripes » vous dicteront la voie à suivre.

Pour accentuer ce phénomène et réagir efficacement à toutes les informations que votre estomac ou vos tripes, appelez cet organe du nom de votre choix, reçoivent, tenez ce livre dans la main gauche et enfoncez délicatement mais fermement le bout des doigts au creux de l'estomac, à environ 2,5 cm au-dessus du nombril. Sans retenir votre respiration, maintenez la pression 50 secondes maximum, puis relâchez lentement en affirmant :

« Je suis vigilant (e), attentif (ve) au moindre changement extérieur et prêt (e) à réagir sur-le-champ. Tout ce que je dois savoir me sera révélé. »

Tout ce que vous devez savoir vous sera révélé. D'ici là, détendez-vous, laissez-vous aller, laissez la vie suivre son cours et savourez l'instant.

Libérez-vous du sentiment de culpabilité

Je doute qu'il existe une seule personne sur cette terre qui, pour quelle que raison que ce soit, ne soit pas coupable d'avoir délibérément attenté à son bien-être ou à celui d'un d'autre.

Acceptez ces fautes. Dites : « Je suis coupable de telle ou telle chose », et puis oubliez. Oubliez parce qu'il n'y a aucune raison de souffrir. Il y a déjà eu suffisamment de souffrance à l'époque où vous avez commis ces fautes sans que vous en rajoutiez encore. La personne que vous avez blessée, et vous-même, ne tireront certainement aucun bénéfice de votre souffrance.

Nous ne vivons pas dans un monde idéal. Les hommes se font du mal, cela fait partie des lois de la nature. Parfois c'est vous qui en faites, parfois c'est à vous qu'on en fait.

Je ne dis pas cela pour vous inciter à nier l'importance de la douleur que vous avez pu causer. Loin de là. Je cherche seulement à vous faire prendre conscience de votre attitude sans que vous vous flagelliez pour autant. Dites simplement : « Oui, je suis coupable ».

Après tout, on n'apprend pas à être gentil en se faisant souffrir, notamment en tournant en rond toute la journée, l'esprit rongé par la culpabilité. On apprend à être gentil en s'exerçant de façon consciente à être gentil : gentil avec soi-même et avec les autres. Peu importe le comportement de cruauté ou de malveillance que vous ayez manifesté dans le passé.

En portant sur vous un regard compatissant, en analysant le pour et le contre de vos actions sans prononcer de condamnation, vous prendrez beaucoup plus conscience de la portée de vos actes et n'aurez plus envie de faire du mal, ni à vous ni aux autres.

Certains disent que la culpabilité est usante, mais ce n'est pas la culpabilité qui use. La culpabilité n'est que la culpabilité. Ce qui use, c'est de s'abandonner à la honte et à l'auto-flagellation qui viennent s'ajouter au sentiment de culpabilité.

Ce sentiment de culpabilité n'est probablement que la matérialisation d'une peur cachée, peur d'un châtiment divin, peur des représailles de la personne blessée, ce qui expliquerait pourquoi vous vous punissez à coup de honte et d'auto-flagellation. C'est une manière inconsciente de vous racheter pour ne pas être puni, ce qui est de toute évidence absurde.

Cependant, il est utile de savoir que la honte survient lorsque l'énergie de la rate est faible. Et réciproquement, le sentiment de honte affaiblit l'énergie de la rate, énergie chargée d'accepter et d'assimiler les « aliments » (qu'il s'agisse de nourriture physique ou spirituelle) dans l'organisme. Si l'énergie de la rate est trop faible, vous aurez non seulement du mal à digérer ce que vous mangez, mais vous aurez aussi du mal à digérer ce que vous êtes. En d'autres termes, vous aurez du mal à vous accepter.

Le besoin de s'auto-flageller survient quand le foie surchauffe, en raison d'une colère rentrée. La rate et le foie entretiennent une relation énergétique assez spéciale. Dès que l'énergie de la rate s'affaiblit (par exemple lorsque vous êtes honteux d'avoir fait quelque chose), le foie profite de cette faiblesse pour envahir la rate et s'emparer du peu d'énergie qui lui reste. Quand cela arrive, le foie surchauffe en raison de l'énergie excessive qu'il transporte, et cette surchauffe se traduit généralement par de la colère rentrée, d'où l'auto-flagellation. Si une personne dans cette situation n'a pas conscience de ce qui lui arrive (le psychopathe, par exemple), la colère n'est pas rentrée mais s'extériorise au contraire, ce qui explique pourquoi les criminels violents ou les bellicistes sont souvent des récidivistes.

Pour vous libérer de la honte liée au sentiment de culpabilité et amorcer un long processus de guérison en étant désormais gentil avec vous-même et avec les autres, faites l'exercice suivant.

Posez ce livre sur un support, et avec la paume des mains, opérez des frottements latéraux sur la zone du foie (dans la partie supérieure de l'abdomen), sans dépasser 180 frottements d'affilée. Lorsque vous aurez terminé, maintenez les mains à plat sur le foie pour faire pénétrer la chaleur. Cet exercice a pour objectif de tromper le foie en lui offrant ce qu'il veut sans bagarre – l'énergie de la rate – et lui donner une fausse impression de sécurité.

Après quelques instants, refaites l'exercice, cette fois dans la zone de la rate (sous la partie gauche du diaphragme), en veillant à effectuer le même nombre de frottements (ne dépassez pas le nombre de 180). Enfin, maintenez les mains à plat sur la rate pour faire pénétrer la chaleur.

Ceci ne fait pas qu'accentuer l'acceptation de soi. S'il est effectué quotidiennement, cet exercice aide à renforcer le système digestif (notamment en prévenant les ballonnements, les flatulences, l'indigestion et les troubles intestinaux), à stimuler la réaction immunitaire, à tonifier le diaphragme et donc les poumons, tout en musclant les bras en douceur.

À présent, imaginez qu'il y a un trou ou une ouverture respiratoire dans votre plexus solaire (au creux de l'estomac) et respirez à travers cet orifice. Essayez d'imaginer qu'à chaque expiration, tous les résidus de honte et de tendance à l'auto-flagellation sortent de votre organisme, et qu'à chaque inspiration, vous faites entrer en vous l'essence même de l'auto-acceptation.

Lorsque vous aurez effectué neuf cycles respiratoires (pas plus), arrêtez, tournez le visage vers le ciel et déclarez :

« *Je suis pardonné(e)* ! »

En plus de ces séances respiratoires quotidiennes, prenez un remède de Bach à base de pin chaque fois que vous êtes pris d'un fort sentiment de culpabilité.

Et d'ici peu, vous vous sentirez tellement innocent que vous contacterez le Pape et demanderez à être canonisé !

Libérez-vous du cynisme

17

Bien que le cynisme pratiqué à petite dose soit tout à fait acceptable (sans lui, nous serions probablement mortellement ennuyeux), c'est aussi une dangereuse drogue. Ses effets sur la personnalité sont le plus souvent relativement subtils et peu visibles. En revanche, ses répercussions sur l'âme et sur la santé en général peuvent parfois être graves. Les cyniques sont souvent des idéalistes déçus, des êtres qui cachent au fond d'eux-mêmes une extrême sensibilité.

Le cynisme est une arme que l'on utilise pour se protéger (à nouveau) contre un monde où les gens et les événements ne répondent pas exactement à nos attentes. Il sert à la fois à masquer la peur d'être blessé par ce monde et à exprimer un peu de notre colère refoulée, colère née de notre déception.

Comme la cocaïne, le cynisme touche l'énergie circulant dans la poitrine, celle qui protège le cœur, en inhibant son flux. Il s'ensuit un durcissement des muscles et des tissus conjonctifs de la poitrine, destiné à calmer la douleur. Mais en limitant l'énergie qui circule dans votre poitrine, vous diminuez votre capacité à ressentir de grandes joies.

Peut-être le temps est-il venu de pardonner à la vie. Pardonner à votre mère, à votre père, à vos frères et sœurs, à votre nounou, à vos grands-parents, à vos professeurs, à vos héros, à vos amis, à votre conjoint, à vos collègues et à tous les anonymes que vous croisez dans la rue. Pardonner au soleil, à la lune, aux étoiles, à la Terre, à la nature et à l'espace infini. Pardonner aux prêtres, aux écrivains, aux hommes politiques, aux gangsters et aux prostituées. Pardonner à ceux dont la voix monte systématiquement de deux demi-tons à la fin de chaque phrase. Pardonner au temps. Pardonner au destin. Pardonner à votre dieu. Pardonner même à ceux qui portent des chaussures marron avec un pantalon bleu marine. Mais surtout, vous pardonner à vous-même... d'avoir été aussi cynique toutes ces années. Il est temps d'aller de l'avant.

Je ne dis pas que vous devez revenir à un état de béatitude naïve et de rêveries utopiques. Je dis seulement que vous pouvez poursuivre votre chemin en ayant pleinement conscience de la méchanceté, de la brutalité et de la cruauté, mais aussi de la grandeur, de l'élégance et de la bonté inhérentes à la vie.

Vous avez peut-être été blessé par le passé, mais rares sont les personnes qui ne l'ont pas été. Cessez de gaspiller votre énergie à essayer en vain de vous protéger contre la douleur. Vous souffrirez encore (espériez-vous le contraire ?) Sachez que la douleur ne blesse que lorsqu'on essaie de lui résister. Dès que vous l'aurez acceptée et utilisée pour fertiliser votre croissance personnelle, elle cessera de vous faire mal, puis deviendra une simple sensation avant de disparaître définitivement.

Serrez les poings et donnez des coups rapides et réguliers au centre de votre sternum, un peu comme sur un tambour (ou à la manière de Tarzan, si vous préférez), pendant 90 secondes au maximum, tout en criant « *Aaaaaaaaah* ! » d'une voix de basse aussi sonore que possible. Vers la fin, ralentissez progressivement le tempo jusqu'au repos total.

Cet exercice devrait affaiblir votre armure et rétablir le flux énergétique du maître cœur. Normalement, des picotements agréables devraient se faire sentir dans votre poitrine une fois l'exercice terminé.

Ensuite, écartez les bras comme si l'on vous crucifiait, prenez une grande et profonde inspiration, et déclarez :

> *« Je pardonne à ma mère, à mon père, à mes frères et à mes sœurs (si vous en avez), à ma nounou, à mes grands-parents, à mes professeurs, à mes héros, à mes amis, à mon conjoint, à mes collègues et aux anonymes que je croise dans la rue. »*

« Je pardonne au soleil, à la lune, aux étoiles, à la Terre, à la nature et à l'espace infini. Je pardonne aux prêtres, aux écrivains, aux hommes politiques, aux gangsters et aux prostituées. »

« Je pardonne à ceux dont la voix monte systématiquement de deux demi-tons à la fin de chaque phrase. »

« Je pardonne au temps, au destin et à mon dieu. »

« Je pardonne même à ceux qui portent des chaussures marron avec un pantalon bleu marine, mais surtout, je me pardonne à moi-même… d'avoir été aussi cynique toutes ces années. Il est temps d'aller de l'avant. »

Baissez les bras et reprenez vos activités. Vous devriez commencer à voir des résultats dans les jours qui viennent. »

Voilà, c'est tout. J'espère que tout ceci ne vous a pas paru douloureusement et obscurément « New Age ». Si oui, vous allez devoir tout reprendre depuis le début.

Libérez-vous de la honte d'envier ou de jalouser

18

Un jour, au terme d'une grande conférence dont j'avais été le principal intervenant et alors que je me dirigeais vers le vestiaire sous des applaudissements nourris, je tombai nez à nez avec un vieil ami, quelqu'un qui, à mes yeux, m'était bien supérieur et qui, j'en étais sûr, avait mieux réussi que moi sur un plan purement matériel. Cet ami donc vint me voir et me dit, sans le moindre embarras et sans honte aucune : « Génial ! Comme je t'envie ! »

Et parce qu'il avait parlé sans gêne, je ne me sentis pas gêné moi-même. Il n'y a en effet rien de mal à se sentir envieux. L'envie fait partie des sentiments humains. En revanche, il faut absolument éviter d'agir de façon destructive au nom de cette envie, envers soi ou envers les autres.

C'est très simple en fait. Vous êtes envieux et vous le remarquez. Vous le ressentez dans votre corps. Vous respirez calmement, et vous l'acceptez. Ou bien vous laissez l'envie triompher et vous pousser à agir de manière destructive. Le premier cas de figure vous simplifie la vie, le deuxième vous la complique. À vous de choisir.

La vie des autres, leur aisance financière – alors que vous vous débattez vous-même des problèmes d'argent – le bon temps qu'ils passent avec votre conjoint sans vous avoir demandé la permission, ne vous concernent pas. Évidemment, je ne parle pas ici de la trahison amoureuse qui peut découler du deuxième exemple ainsi que les conséquences qu'elle entraîne, qui elles peuvent affecter directement votre vie.

Je me souviens avoir été follement amoureux d'une splendide Française. Je devais avoir 35 ans. Un soir, alors que notre liaison était au beau fixe, elle parvint à me convaincre de la laisser rendre visite à l'homme avec qui elle avait eu une aventure affreusement destructive avant que je n'arrive pour la « sauver » (du moins, c'est ce que j'avais cru). À minuit, comme elle ne m'avait toujours pas appelé, j'en déduisis qu'ils étaient au lit ensemble, mais je parvins néanmoins à m'endormir. À 4 heures du matin (je me rappelle l'heure avec précision car j'ai regardé mon réveil), je m'éveillai en sursaut avec la désagréable impression qu'on venait de m'enfoncer un couteau dans le ventre. Et ce n'était pas qu'une image... J'avais vraiment la sensation physique d'avoir été poignardé. Je restai au moins une heure assis dans mon lit à gémir et à transpirer à grosses gouttes. Je la voyais faire l'amour avec son ex, partageant avec lui ce qu'elle avait promis de ne partager qu'avec moi (moi, Moi, MOI !)

Dans le même temps, je ne pouvais m'empêcher de me faire mon petit cinéma, au point que cela commença à m'amuser (je précise que j'adore qu'on me raconte des histoires et que je suis très bon public). En fait, je remarquai que lorsque je laissais ma fierté de côté, la situation était plutôt excitante.

Après tout, voir cette fille dans un film érotique (bien que ce ne fût pas sa spécialité) aurait excité plus d'un homme, et ce n'était que ma fierté, elle-même enracinée dans l'illusion que j'étais en concurrence avec les autres hommes et en particulier avec son ex, qui me posait un problème.

Finalement, elle m'appela de sa voiture à 8 heures. Bien que profondément blessé affectivement, j'avais réussi à prendre de la distance et étais assez calme. « On a fait l'amour, mais je n'ai pensé qu'à toi », m'avoua-t-elle immédiatement. Et cela me suffit. « Bien ! », répondis-je, et je lui racontai l'histoire du couteau dans mon ventre, puis je lui confessai sans gêne ni honte comment j'avais été presque foudroyé par la jalousie. La nuit qui suivit, nous fîmes l'amour comme jamais. Pour la petite histoire, elle m'a quand même quitté quelques semaines plus tard – en m'annonçant notre rupture par téléphone – pour retourner avec son ex et a finalement épousé un troisième homme.

Tout le monde, y compris vous et la personne qui déclenche votre jalousie ou votre envie, fait ce qu'il peut pour gérer au mieux sa vie. Et si les conséquences des actes de certains de vos contemporains vous affectent directement ou vous troublent indirectement en excitant votre envie, il est faux de penser que vous y pouvez quelque chose.

Donc, vous êtes jaloux et vous l'acceptez. Dites : « Je suis jaloux (se), mais ça va ». Si vous avez honte, si vous refusez d'admettre votre jalousie ou si vous la cachez aux autres, vous gaspillerez de l'énergie et vous vous sentirez (et aurez l'air) ridicule.

La jalousie naît lorsque l'énergie du foie surchauffe. Cette surchauffe est due à une faiblesse des reins qui sont normalement chargés de maintenir le foie à une température peu élevée. C'est surtout en hiver que les reins sont vulnérables, ou bien à la suite d'un stress, d'une maladie ou d'une crise d'angoisse.

Le phénomène fonctionne également en sens inverse. La jalousie peut entraîner une surchauffe du foie et ainsi chasser « l'eau » des reins, affaiblissant ces derniers et vous exposant davantage au froid, au stress, à la maladie et à l'angoisse.

Pour vous débarrasser d'éventuels assauts de jalousie, présents ou futurs, posez ce livre sur un support proche et enfoncez le bout des doigts de la main droite sous les côtes droites jusqu'à avoir le souffle légèrement coupé. Maintenez la pression 50 secondes tout en expirant sur le son : « *Shhhhhhhh* ! » *Renforcez* éventuellement la pression avec l'autre main.

Imaginez que le son s'échappe par une ouverture à l'endroit de la pression des doigts, et qu'il emporte avec lui ce poison qu'est votre jalousie.

Faites cet exercice trois fois ou plus si vous vous sentez particulièrement jaloux. Ensuite, relâchez lentement la pression, détendez-vous et déclarez :

> *« Je souhaite maintenant être convaincu(e) que tout ce qui parvient à m'atteindre m'est destiné, et que tout ce qui échappe à mon emprise ne l'est pas. Je souhaite aussi être toujours en possession de ce dont j'ai besoin pour mon développement personnel, dans les meilleures conditions possibles, pour moi et pour ceux qui m'entourent ».*

Ensuite, pour activer ce souhait sur un plan viscéral, pour vous débarrasser de la peur de ne pas avoir ce dont vous avez besoin (peur qui est à la base de la jalousie), posez les mains sur les hanches et appuyez fort là où les pouces se placent, c'est-à-dire le long de l'arête des muscles de part et d'autre de la colonne. Vous devez ressentir une douleur à la fois vive et agréable. Maintenez la pression environ 70 secondes avant de relâcher lentement.

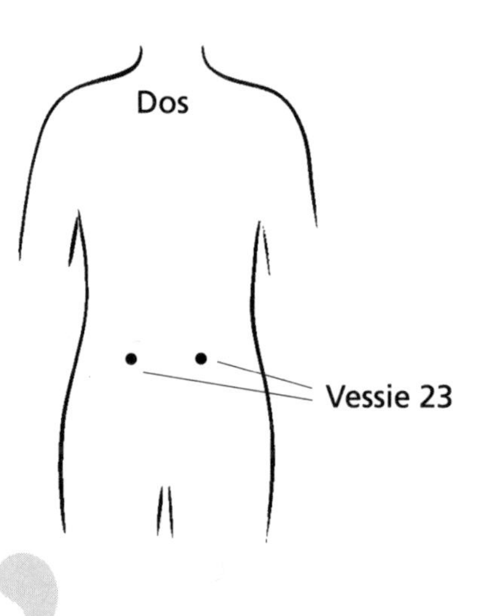

Non seulement cet exercice vous débarrassera de la peur de ne pas avoir ce dont vous avez besoin, mais il permettra également, avec le temps et s'il est pratiqué avec suffisamment d'adresse et de régularité, de vous soulager d'éventuels problèmes de dos et de constipation, de stimuler votre libido, de renforcer votre immunité et – fait non négligeable – de muscler vos pouces.

Libérez-vous de la peur du succès

19

Ce matin, l'orage est passé, laissant derrière lui un ciel d'un bleu métallique au-dessus d'une mer étirant ses eaux argentées jusqu'à l'infini. Ce soir, alors que j'ai décidé de me dégourdir les jambes dehors, je lève les yeux et des milliards d'étoiles percent l'encre noire de l'espace – l'absence de ville dans les alentours ; la lumière de la maison la plus proche étant à des kilomètres de là – rendent la nuit encore plus noire et les étoiles et la lune plus brillantes.

Une étoile filante fuse subrepticement dans ce théâtre immobile et je fais le vœu habituel que mes rêves se réalisent (ou continuent de se réaliser) et je pense à vous. J'ai envie de vous dire qu'une de ces étoiles porte votre nom, mais ça pourrait sembler bête, un peu comme une publicité pour le Loto. Pourtant, d'un point de vue purement symbolique, c'est vrai.

Tout le monde a une bonne étoile, y compris vous, une étoile qui indique le chemin vers un monde où tous les rêves se réalisent. Mais il faut y croire. Car il n'y a que ce en quoi l'on croit qui arrive vraiment. Et pourtant je suis sûr que vous avez peur, peur que vos souhaits deviennent réalité.

Pourquoi ?

Parce que vous savez d'instinct que le succès est une denrée périssable et qu'une fois obtenu, il ne se conserve qu'au prix de pénibles efforts. Parce que vous savez également qu'il est beaucoup plus douloureux de perdre le succès que de ne jamais l'obtenir. Parce que vous savez qu'il va vous transformer de manière imprévisible alors que vous êtes habitué à ce que vous êtes devenu jusqu'ici. Parce que cela signifierait quitter le calme mielleux et abrité de votre réalité « cul-de-sac » et que cela vous exposerait aux vents violents de la réussite. Enfin, simplement parce que vous avez, comme tout le monde, peur du changement, même potentiellement libérateur, aussi aliénante votre situation actuelle soit-elle.

Vous aspirez au succès, et dans le même temps, vous le craignez. Excusez-moi, mais c'est complètement stupide. Un jour, vous allez mourir, n'est-ce pas ? Vous n'allez pas, je pense, échapper à ce sort ; personne que je sache n'a jamais échappé à la mort sur cette planète. Or j'en déduis, puisque vous lisez ces lignes, que vous êtes parvenu à surmonter votre peur de la mort, du moins suffisamment pour continuer à vivre jusqu'à ce que celle-ci arrive. Et je sais que cela demande énormément de courage.

Si vous avez pu gérer votre peur de la mort, vous devez pouvoir gérer assez facilement une chose aussi insignifiante que le succès ainsi que les changements relativement mineurs qu'il pourrait entraîner dans votre vie. Je pense que vous seriez parfaitement capable de voler en business class plutôt qu'en économique, d'échanger votre Mini contre une Mercedes, ou votre scooter contre une Mini, de passer l'hiver aux îles Fidji plutôt qu'à l'Isle-Adam, et de porter du mohair et de la soie plutôt que du synthétique. Alors, quel est votre problème ? Avez-vous peur d'être envié par vos amis et plus encore par vos ennemis ? Et après ?

N'oubliez pas que vous n'avez droit qu'à un tour sur ce grand manège qu'est la vie… alors assez de tergiversations !

Ça y est ? Vous sentez-vous prêt pour la grande foire au succès ?

Commencez par écarter les bras comme si vous alliez étreindre un vieil ami et dites, tout haut ou à voix basse, du moment que cela ne tombe pas dans l'oreille de quelqu'un qui aurait intérêt à vous faire interner :

> « *Esprit du Succès, je t'accueille désormais dans tous les domaines de ma vie. Viens à moi, viens !* »

Ne vous contentez pas de prononcer cette phrase, ressentez-la également, avec tout votre cœur, et l'optimisme inondera votre poitrine, votre ventre, et illuminera votre cerveau. Le succès vous

changera, c'est sûr, mais tout changement est bon à partir du moment où l'on croit qu'il est bon. Maintenant, dites :

« Tout changement est bon ! »

Bien ! Mais maintenant que je vous ai convaincu, vous allez devoir préparer les conditions énergétiques internes optimales nécessaires à la réalisation de vos rêves.

Commencez par frotter énergiquement la surface de vos rotules avec la paume des mains. Dès que vous sentez une forte chaleur envahir vos genoux, enfoncez les pouces ou un petit instrument pointu tel que le bout du manche d'une cuillère en bois dans les « yeux » des genoux (ces deux renfoncements en dessous de la rotule, de part et d'autre du sommet du tibia) pendant 80 secondes environ sur chacun des yeux, et savourez l'agréable douleur engendrée. Relâchez.

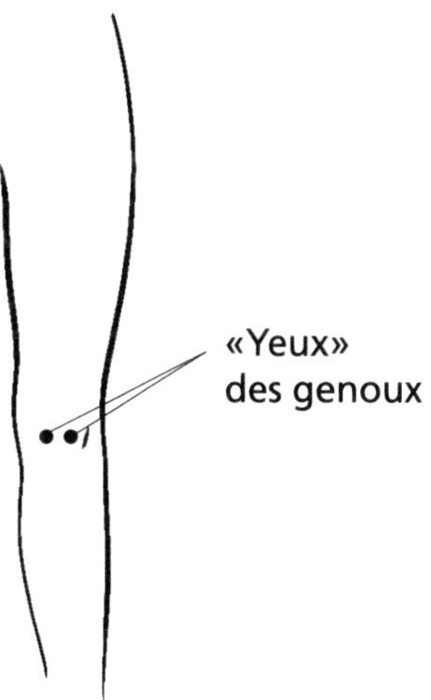

La peur du changement se loge précisément dans les genoux aussi est-il important de traiter vos rotules avec d'attention. Genoux et reins entretiennent une relation énergétique étroite ; un manque d'énergie dans les reins se traduit par une peur généralisée. En stimulant l'énergie qui circule dans vos genoux, vous diminuerez non seulement d'éventuelles douleurs désagréables dans les articulations mais dissiperez aussi la peur du changement. Ne vous arrêtez pas là.

Penchez votre buste en avant et, avec vos poings, donnez des coups rapides dans le bas de votre dos, de part et d'autre de la colonne, pendant environ 120 secondes, pour stimuler le flux énergétique dans les reins et ainsi réduire considérablement votre peur.

Occupons-nous maintenant de l'énergie de la rate et de l'estomac, laquelle est étroitement liée au succès matériel. Une rate en or vous garantit le succès.

Posez la paume de la main gauche sur la partie supérieure de l'abdomen, un peu sur la gauche. Prenez une grande respiration et, tout en tendant la main droite lentement et délicatement devant vous, un peu à la manière d'un agent de la circulation qui arrêterait une voiture au ralenti, psalmodiez, d'une voix grave et vibrante, le son taoïste apaisant de l'estomac : « S*hiiiiiiiiiiii* ! »

En inspirant, ramenez lentement la main droite sur la poitrine et entamez un autre cycle respiratoire.

Répétez la procédure sept fois puis baissez lentement les deux mains et, dans le silence qui s'ensuit, passez quelques instants à

rêver sans retenue au goût, à l'odeur et à l'aspect que revêtira votre succès.

Ensuite, appuyez légèrement au centre de votre front, juste au-dessus de la ligne des sourcils, dans un petit renfoncement renfermant le point qui doit vous permettre de gérer votre destin, et dites :

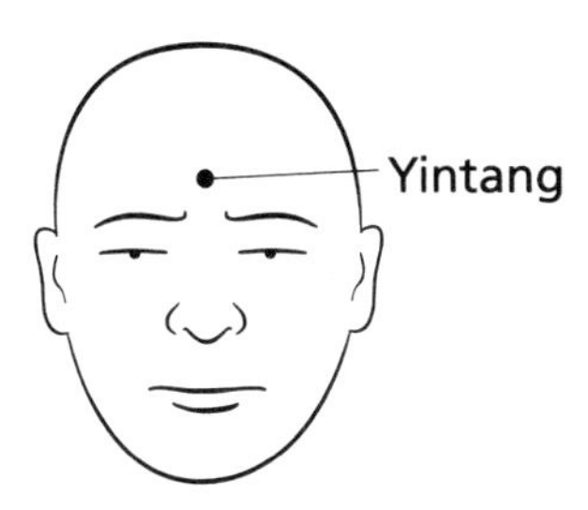

« *Je suis un guerrier. Je peux le faire.* »

Voilà, c'est tout ; il ne vous reste plus qu'à le faire.

Libérez-vous du tyran qui est en vous

20

Ce matin, plutôt que de me mettre immédiatement au travail, j'ai repris mes vieilles habitudes. Je suis allé rendre visite aux six chevaux sauvages qui gambadent dans la prairie près de la grange. Ils étaient éclairés par les rayons rasants, presque aveuglants, du soleil. Et alors que l'un d'eux me mordillait gentiment l'épaule à travers ma veste, et que j'admirais la silhouette d'un bateau à l'horizon, j'entrepris de faire quelques mouvements de taï chi.

Très lentement.

Ils sont infernaux, ces chevaux ! Un peu comme Walter, mon chien, qui vient toujours me lécher le visage lorsque je m'essaie à l'une de ces figures de yoga compliquées, ou comme mes enfants, qui lorsqu'ils étaient petits se pendaient à moi dans l'espoir de me faire tomber. Les chevaux ne sont pas parvenus à me renverser et j'ai terminé l'exercice dans une posture plutôt gracieuse. J'ai ensuite fait de mon mieux pour envoyer au monde un peu d'énergie curative, en particulier vers les pays en guerre, puis j'ai dit au revoir aux chevaux avant de retourner dans la grange pour me remettre à écrire.

Et pourtant je n'en avais pas envie. J'aurais en effet préféré rester dehors au soleil, à continuer ma gymnastique, peut-être me promener un peu, mais le tyran en moi (qui séjourne au-dessus des glandes surrénales, juste derrière l'estomac) me l'interdisait, et d'une manière moins agréable que les chevaux.

Ce satané tyran avait un programme. Il voulait que je finisse ce livre et que je quitte cette grange au plus vite pour pouvoir attaquer un autre projet sans tarder, et ainsi de suite, jusqu'à ma mort. Il s'introduirait alors dans le corps d'un autre pauvre type comme moi chez qui il reprendrait ses activités harcelantes.

Vous êtes-vous jamais demandé qui était ce tyran ? Est-ce juste un démon sadique qui pousse les hommes jusqu'à ce qu'ils s'écroulent de fatigue ? Ou bien est-ce un esprit archétype qui œuvre à l'évolution des espèces ? Est-ce votre mère intériorisée, votre père, un prêtre ou un instituteur ? Ou bien n'est-il qu'un produit de votre imagination ?

Peu importe qui il est, je lui ai dit de partir sur le champ, j'ai tourné les talons, et je suis retourné vers les chevaux. Je leur ai dit « Bonjour, c'est encore moi ! », et j'ai refait du taï chi pendant une bonne demi-heure. J'ai ensuite gravi lentement la colline, précédé de mes amis équidés, pour essayer d'avoir un signal sur mon mobile et ainsi savoir si mon envoi d'énergie curative avait eu un quelconque effet sur notre planète. Mais comme je n'avais aucun signal, je suis revenu sur mes pas, j'ai salué en grommelant mon tyran intérieur, et je me suis remis au travail (le livre que vous avez entre les mains en témoigne).

Vous voyez, tout est une question d'équilibre ; il est important de savoir maîtriser l'équilibre entre l'enfant et le tyran qui cohabitent en vous. Du moins si vous voulez avancer sans pour autant nier votre plaisir. Parfois, la balance penche davantage dans un sens, mais pour la maintenir en équilibre pendant un certain temps (ce qui est la meilleure solution), essayez l'exercice suivant.

Pour assouplir et détendre l'énergie de vos surrénales au sommet desquelles se perche votre tyran intérieur et ainsi faire tomber ce dernier dans les profondeurs de vos reins où il sera intégré dans votre volonté, asseyez-vous ou restez debout et posez les mains sur les hanches. Enfoncez ensuite les pouces le long de l'arête des muscles situés de part et d'autre de la colonne. La pression doit être suffisante pour produire une douleur à la fois vive et agréable. Maintenez-la pendant 50 secondes puis relâchez lentement.

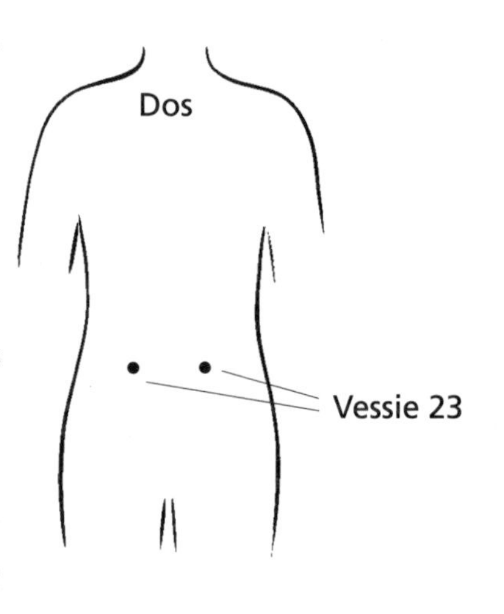

Refaites l'exercice 5 cm plus haut, puis tendez les bras au-dessus de la tête tout en inspirant profondément avant de pencher lentement le buste en avant, aussi loin que possible (sans forcer). En même temps, prononcez d'une voix grave et vibrante le son taoïste apaisant de l'énergie des reins et des glandes surrénales : « *Fffuuuiiiiiiiii* ! »

Répétez cet étirement jusqu'à six fois sans oublier de prononcer six fois le son « *Fffuuuiiiiiiiii* ! » puis asseyez-vous et dites :

> *« Cela me va tout à fait d'aller à mon rythme. Plus j'irai à mon rythme, plus loin j'irai. »*

Imaginez un instant comment serait votre vie si tous vos vœux se réalisaient.

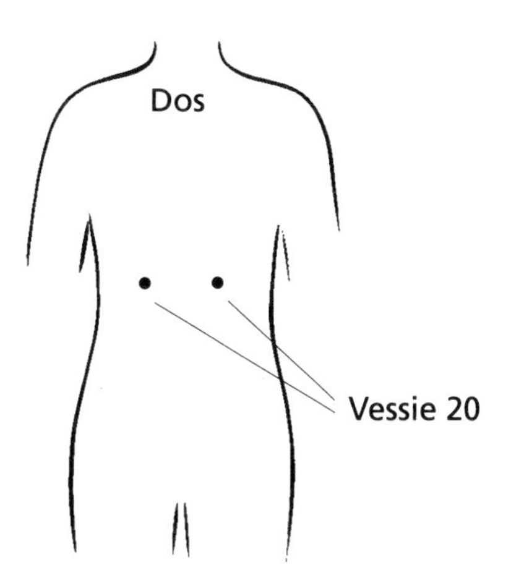

Posez ensuite la paume d'une de vos mains sur le plexus solaire (au creux de l'estomac), puis avec le talon de la main, décrivez des cercles (36 cercles au maximum), lentement, d'abord dans le sens inverse des aiguilles d'une montre (pour dissiper l'énergie stagnante), puis dans le sens des aiguilles d'une montre (pour faire entrer une énergie nouvelle), en veillant à bien masser la chair contre l'estomac.

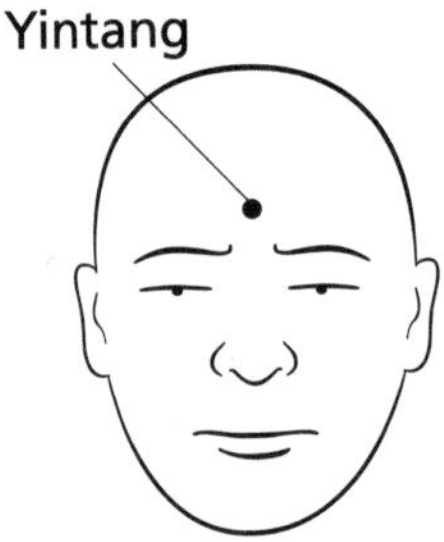

Yintang

Enfin, placez le bout de votre index dominant au milieu du front, dans le petit renfoncement au-dessus de la ligne des sourcils (appelé « point du bonheur ») et pressez légèrement en décrivant des petits cercles (dans le sens des aiguilles d'une montre), pas plus de 81 fois d'affilée. La stimulation du « point du bonheur » permet d'unifier l'esprit, le corps et l'énergie. Il vous aide à vous « rassembler » pour que tout votre être aille dans la même direction. Relâchez la pression et retirez lentement votre doigt de manière à ressentir la pression durant quelques secondes encore. Et tout en savourant cette sensation, prenez une longue et profonde inspiration, et déclarez :

« Désormais, j'avancerai au rythme qui me convient. Cela ne mènera ni à la paresse ni à l'entropie, mais à l'accomplissement de tout ce dont j'ai besoin pour mon développement personnel, sans effort et comme par miracle. Qu'il en soit ainsi. »

Et il en sera ainsi.

Libérez-vous de la rancune

21

On peut éprouver de la rancune envers une personne en particulier ou envers un groupe de personnes, envers une nation entière, une corporation, un gouvernement, un système dans son ensemble ou juste envers la vie en général. Il peut s'agir d'une rancune spécifique ou diffuse. On peut aussi en vouloir au monde entier. Ce qui est sûr, c'est que la rancune n'apporte rien de bon.

La rancune naît lorsqu'un sujet ou un événement nous fâche ou nous laisse un sentiment d'insatisfaction. Nous essayons alors vainement de trouver une solution en intériorisant celles et ceux qui nous ont fait du tort (directement ou indirectement) puis nous les punissons en les bombardant (intérieurement) d'énergie négative et destructrice.

Mais lorsque nous intériorisons quelque chose, cette chose devient une partie de nous-mêmes. Ce ne sont donc pas ceux qui nous ont fait du tort que nous punissons avec cette énergie destructrice mais nous-mêmes ! C'est la raison pour laquelle ceux qui nourrissent des rancunes pendant des années deviennent malades, stressés et amers au point de ne plus être capables de profiter de la vie.

Bonheur et rancune sont tout simplement incompatibles. Et pour vraiment profiter de la vie, il faut se débarrasser de tout ce qui nous entrave, or il n'y a rien de plus inhibant que la rancune – à part peut-être les complexes d'adolescents, mais j'en parlerai plus tard.

Comme toute toxine physique, l'énergie de la rancune se loge principalement dans le côlon où elle couve lentement, empoisonnant progressivement tout l'organisme. Pour initier le processus de libération, collez le pouce d'une de vos mains contre la paume de la même main et pressez fermement l'autre pouce dans la saillie de chair formée, au bas de la dépression entre le pouce et la main. Dirigez votre pression vers le centre de la paume. Vous devrez peut-être chercher le point exact, mais quand vous l'aurez trouvé, vous ressentirez une douleur agréable, légèrement paralysante, dans toute la main. Plus la douleur sera vive (dans la limite du raisonnable), mieux ce sera. Maintenez la pression aussi longtemps que vous le pouvez, sans dépasser deux minutes, puis répétez l'exercice avec l'autre main.

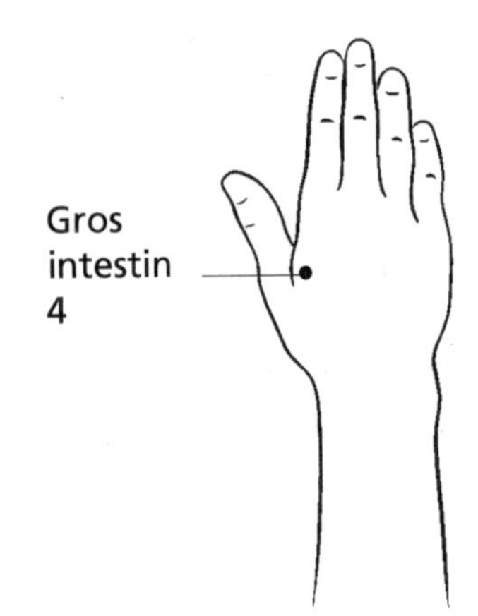

Ce point est appelé « le Grand Éliminateur » et il joue un rôle décisif au niveau du gros intestin. Lorsqu'il est stimulé, le côlon élimine plus facilement les déchets stagnants, qu'ils soient physiques ou énergétiques.

Tout en savourant la délicieuse sensation provoquée par la pression, concentrez-vous sur toutes les rancunes que vous nourrissez. Posez ensuite votre paume dominante sur la partie inférieure de l'abdomen, sous le nombril, puis posez l'autre main par-dessus la première et, tout en respirant lentement et calmement, décrivez des cercles sur l'abdomen (dans le sens des aiguilles d'une montre), au maximum 81 fois, en veillant à masser fermement la chair contre vos entrailles. Imaginez que, grâce à ce massage, les rancœurs quittent votre organisme par le rectum.

Accessoirement, sachez que cet exercice permet de soulager les intestins douloureux ou les problèmes de constipation, d'indigestion, de flatulences, de libido, et même de coliques chez le nourrisson. Attention ! Dans ce dernier cas, le massage doit être très doux.

À présent, installez-vous confortablement et pensez à tous ceux à qui vous en voulez. Faites comme s'ils étaient devant vous et dites-leur :

« La sentence est levée ! »

Regardez-les vous tourner le dos et disparaître au loin. Ensuite, secouez vos mains pour en extraire l'énergie, frissonnez si vous en ressentez l'envie, levez les bras et criez :

« *Hourra, je suis libre* ! »

Libérez-vous de l'inquiétude liée au statut social

22

Je viens de faire un petit tour dans les serres de Jeb et de Mike. Grâce à l'énergie hydroélectrique qu'ils produisent, aux kilos de fruits et de légumes qui poussent dans ces serres et aux piles de livres et de disques du monde entier qui tapissent les murs de la grange, Jeb et Mike pourraient continuer de vivre ici, sans le moindre souci, même si le monde entier autour d'eux s'écroulait.

Et dans le cas peu probable mais toutefois possible où cela arriverait (que le monde s'écroule), Jeb et Mike deviendraient des célébrités universelles. Bien sûr, ils n'auraient toujours pas de signal sur leur portable, mais cela ne leur servirait de toute façon à rien. La rusticité de leur installation deviendrait le comble du luxe et de la splendeur. Jeb et Mike deviendraient LE couple que tout le monde rêve de rencontrer.

En attendant (et heureusement pour Jeb et Mike qui n'aspirent qu'à la tranquillité et aussi pour tous ceux d'entre nous qui sont plutôt satisfaits des choses telles qu'elles sont), ce sont les stars hollywoodiennes, la haute société new-yorkaise, les pop stars, les mannequins, les couturiers, les leaders internationaux, quelques ex-gangsters et deux ou trois descendants d'illustres familles aristocratiques qui font parti du petit nombre d'élus célébrés par tous.

Le commun des mortels suit la réussite de cette élite à la télévision, lit les « potins » les concernant dans la presse « people », et rêve d'échanger sa vie contre l'existence dorée des stars. C'est un jeu bête, très ancien, auquel tout le monde se laisse prendre. Un jeu où les gagnants sont célébrés (enviés, admirés, imités ou les trois à la fois) pour ce qu'ils possèdent ou pour ce qu'ils ont fait, par des personnes qui auraient aimé posséder ou avoir fait la même chose mais qui, soit pensent ne pas en être capables pour quelque raison que ce soit, soit se font croire à eux-mêmes et à ceux qui les entourent qu'ils possèdent ou qu'ils ont fait la même chose.

Et personne n'échappe à cette spirale infernale ; il semble que les êtres humains sont programmés pour réagir ainsi car chacun veut être quelqu'un.

Imaginez un instant ce qui se passerait si vous ne vouliez être personne !

Imaginez le soulagement… Vous marcheriez dans la vie en n'étant personne, rien du tout ! Bien sûr, vous devriez tout de même gagner votre vie, mais vous n'auriez plus à entretenir les apparences pour prouver votre valeur sociale. Si quelqu'un dans la rue vous traitait de rien du tout, vous l'approuveriez sans vous vexer. Et paradoxalement, comme je peux l'affirmer pour avoir passé presque un an sans foyer ni statut (à titre expérimental), à la seconde où l'on accepte de n'être personne, on devient tout le monde.

Comme tout bouddhiste vous le dira, si vous enlevez de votre esprit l'idée du moi, vous vous rendrez compte qu'en vous il y avait, qu'il y a et qu'il y aura toujours, tout l'univers. Vous comprendrez alors que la lutte que nous menons perpétuellement pour décrocher une portion dérisoire de statut social n'est en fait qu'un stratagème qui nous distrait de la notion d'éternité.

En un mot, ne soyez personne et vous serez tout le monde. Et étant ainsi empli d'une telle richesse, vous vous sentirez naturellement le roi ou la reine du monde, quoi qu'il arrive. Il vous manquera peut-être les signes extérieurs ou l'attirail habituel du monarque, mais qu'importent les ornements et les paillettes quand on est roi de l'univers ?

« Il y a un point au sommet de la tête, appelé le « vaisseau gouverneur », qui lorsqu'il est stimulé avec le bout de l'index, donne l'illusion en moins de trois ou quatre minutes d'être à la fois personne et tout le monde. Il faut pour cela décrire des petits mouvements circulaires dans le sens des aiguilles d'une montre sur ce point

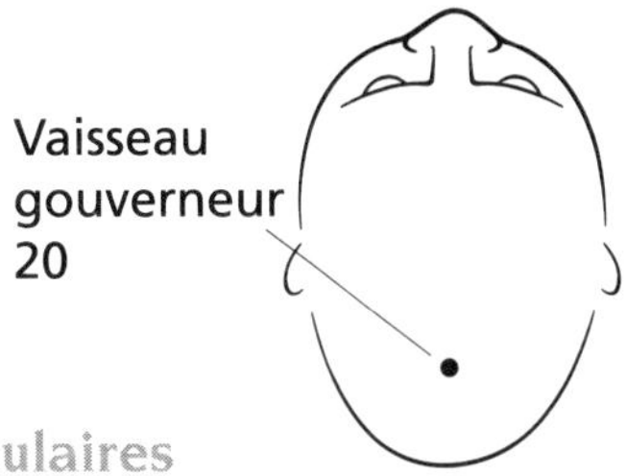

Vaisseau gouverneur 20

précis, pas plus de 108 fois d'affilée, en veillant à bien masser la peau fine du sommet de la tête qui recouvre la boîte crânienne.

Ce point active l'énergie de la conscience universelle. C'est à travers lui que l'esprit intérieur est relié au « Grand Esprit », le Tao qui vous vide du moi. Faites l'exercice maintenant si vous le souhaitez. Comme tout taoïste vous le dira, lorsqu'on est vide en dedans, débarrassé des soucis de statut social, l'espace intérieur devient paisible et agréable ; cet apaisement a des répercussions sur le champ énergétique extérieur. Vous rayonnerez au point que même les anges, les dieux et les esprits viendront à vous, sans parler des simples mortels, car d'une façon ou d'une autre, le vide finit toujours par se remplir (la nature ayant horreur du vide).

En massant le sommet de votre crâne, imaginez que vous creusez un petit trou qui vous permette de respirer ; c'est par ce trou que toutes les pensées vaniteuses quitteront votre organisme lorsque vous expirez, pour laisser la place à toute la créativité des anges, des dieux et des esprits (le Tao) lorsque vous inspirez.

Retirez ensuite lentement le doigt du sommet de votre crâne, regardez autour de vous et imaginez que le monde entier est à vos pieds. Dites alors fièrement, assez de fois pour vous en imprégner :

« Je suis le roi (ou la reine) de n'importe quoi ! »

Libérez-vous de la hantise de la séduction

23

Nous voulons tous être beaux. Les médias et une vaste branche de l'industrie le savent bien et tirent habilement parti de cette faiblesse pour nous inciter à consommer toujours plus. Cette faiblesse n'est rien d'autre qu'un déficit en amour-propre.

Ce déficit, cette honte innée que nous éprouvons tous pour nous-même, apparaît généralement à l'âge de l'apprentissage de la propreté quand on nous fait remarquer, avec plus ou moins de délicatesse, que nos selles, notre urine et notre vomi, c'est-à-dire les produits visibles de notre organisme, sont sales, sentent mauvais et doivent être cachés. C'est une des raisons pour lesquelles on s'enferme à clé dans les W.-C., espérant ainsi donner l'illusion aux autres qu'on ne fait pas ces choses dégoûtantes, alors que tout le monde (sauf peut-être la reine d'Angleterre) va en moyenne deux fois par jour à la selle, urine six fois dans une journée, et vomit au moins une fois tous les deux ans.

Si nous n'avions pas honte de nos sécrétions et odeurs corporelles, l'industrie des articles de toilette s'écroulerait. Actuellement, le commerce des savonnettes est très florissant, et selon moi, ce n'est pas une mauvaise chose, car sinon, nous sentirions très mauvais ! Néanmoins, si nos parents (ou les personnes qui nous ont élevés) avaient abordé la phase d'apprentissage de la propreté avec un peu plus de sensibilité, et s'ils étaient par ailleurs moins complexés eux-mêmes par leurs sécrétions corporelles, nous serions peut-être moins honteux et aurions peut-être un peu plus d'estime pour nous-mêmes.

Quand la puberté pointe le bout de son nez et que l'adolescence approche avec son lot d'acné et de rondeurs, quand les seins se mettent à grossir, quand les poils pubiens et la barbe commencent à pousser, quand les hormones bouillonnent en entraînant des sautes d'humeur inexplicables, tout cela à un moment où l'on s'aventure, souvent maladroitement et douloureusement, sur le terrain socio-sexuel, cette honte qui était jusque-là uniquement liée à nos besoins physiologiques resurgit sous forme d'un déficit d'amour-propre. Ce manque d'estime de soi, si l'on n'en prend pas conscience et si l'on n'y travaille pas, est présent de manière plus ou moins cachée, tout au long de la vie adulte jusqu'à la mort.

Tous les propriétaires de gymnases, les fabricants de produits de beauté, les esthéticiens, les coiffeurs, les manucures, les pédicures, les chirurgiens esthétiques, les maquilleurs et même les fabricants de voitures, les fournisseurs de services et les marchands de produits que vous achetez parce que vous vous sentez handicapés sans eux, de même que les médias et l'industrie publicitaire dont les revenus dépendent de vos achats, vous remercient pour ce déficit en amour-propre.

Fondamentalement, à quelques rares exceptions près, du moins dans nos cultures, personne ne se trouve assez beau.

De plus, l'image que les autres ont de vous n'a aucune influence sur l'image que vous avez de vous-même. Je me souviens d'une femme absolument éblouissante (et croyez-moi, je m'y connais en beauté féminine) que j'avais essayé d'aider car elle était au bord du suicide tant elle se trouvait laide. Et cet exemple n'est pas unique, bien au contraire ! À l'inverse, j'ai aussi rencontré des personnes, et je pense que cela vous est également arrivé, qui ne sont pas franchement belles, parfois même laides, mais qui sont si attirantes et si charismatiques que tout le monde est à leurs pieds.

En fait, tout dépend de votre énergie intérieure. Il faut savoir que le bon fonctionnement de celle-ci nécessite trois opérations : réduire le facteur honte, augmenter le facteur acceptation de soi et amour-propre, et activer le facteur magnétisme personnel.

Il vous faudra évidemment plus de cinq minutes pour arriver à faire tout cela. Il vous faudra même des années, voire toute votre existence. Commencez par prendre un remède de Bach à base de pomme sauvage pour la honte (quelques gouttes par jour suffiront), puis faites l'exercice suivant pour renforcer l'énergie de la rate, laquelle gère la perception que l'on a de soi.

Prenez une grande inspiration, levez la main droite jusque sur le côté du front comme si vous étiez un soldat saluant un supérieur, et tout en gardant la main gauche sur le côté, tournez le buste sur la gauche (environ 30°) et prononcez d'une voix grave et sonore le son taoïste apaisant de la rate : « H*huuuuuuuuu* ! » Revenez à votre position initiale en inspirant.

Refaites cet exercice six fois puis détendez complètement votre corps et votre esprit, et dites :

> *« Cela m'est égal d'être honteux (se) de ce que je suis tant que je trouve cela agréable et gratifiant, sinon, cela me va aussi de me sentir fier (fière) si tel est mon souhait. »*

Faites-moi confiance ! Je suis sûr que votre inconscient va adorer.

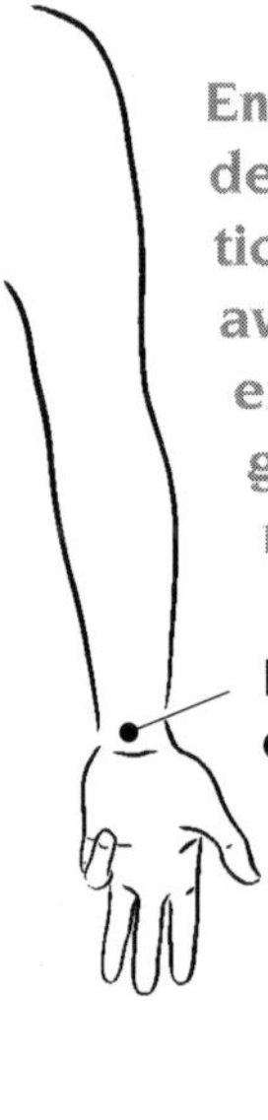

Ensuite, pour stimuler l'énergie du maître cœur responsable de notre capacité à aimer en général et à s'aimer soi en particulier, tournez la paume de la main droite vers le haut et avec le pouce de l'autre main, pressez fermement le point entre les deux tendons, au niveau du pli de flexion du poignet, pendant 70 secondes maximum. Relâchez et recommencez sur l'autre main. Tout en pressant, dites : « *Ma beauté intérieure brille dans mes yeux et illumine mes traits. J'aime ce que je suis* ! » Par ailleurs, veillez à soigner votre apparence : faites régulièrement des exercices pour tonifier votre visage, utilisez des produits de beauté de qualité, prenez soin de

Maître cœur 7

beauté de qualité, prenez soin de vos cheveux, maquillez-vous avec attention, portez des vêtements qui flattent votre silhouette, choisissez des couleurs qui vous mettent en valeur, et parfumez-vous avec discrétion. Mais attention, vous devez vous servir de ces ornements pour accéder à votre beauté intérieure et non vous reposer entièrement sur eux en espérant qu'ils fassent seuls tout le travail.

Enfin, si vous voulez activer votre « mojo », imaginez qu'un petit trou laisse entrer l'air dans vos talons, puis que cet air monte par deux conduits à l'intérieur des jambes jusqu'au périnée, que les deux conduits se rejoignent ensuite en un seul canal et que ce canal poursuit son chemin jusque dans l'utérus ou jusqu'au bout du pénis. Imaginez enfin que l'air redescend en sens inverse jusqu'aux talons.

Répétez ce cycle respiratoire jusqu'à neuf fois, et chaque fois que l'air entre dans vos organes génitaux, dites :

« Je suis sexy. »

Et chaque fois que l'air repart vers les talons, dites :

« Je suis magnétique. »

Quand vous aurez terminé, levez-vous et dites :

« J'ai un sex-appeal et un magnétisme dévorants ! »

Libérez-vous de l'impression de toujours manquer de temps

24

J'imagine que vous êtes conscient, viscéralement conscient, que la planète sur laquelle nous nous trouvons, au moment même où vous lisez ces lignes, tourne à une vitesse moyenne de 1 500 kilomètres par heure autour de son axe, soit une vitesse bien supérieure à celle de n'importe quelle forme de transport commercial accessible à l'homme (puisque le Concorde a cessé de voler). Évidemment, vous me contredirez si vous êtes un millionnaire et que vous partez régulièrement en vacances dans une navette spatiale !

Dans le même temps, la Terre tourne autour du soleil à une vitesse moyenne de 100 000 kilomètres par heure. Nous sommes comme entraînés dans une folle valse cosmique, et il en sera ainsi jusqu'à notre mort.

Et voilà que vous vous y mettez aussi, comme si nous ne tournions pas assez vite à votre goût ! Cent mille kilomètres à l'heure, cela fait en moyenne 28 kilomètres à la seconde, soit Paris-Londres en moins de 10 secondes. Ce n'est pas assez rapide pour vous ?

Ce matin, je me suis levé à l'aube, j'ai fait un peu de yoga pour dérouiller mes articulations et mes muscles, puis j'ai fait un peu de boxe à vide dans le cas peu probable où je me ferais agresser par une bande de voyous. Je me suis ensuite emmitouflé jusqu'aux oreilles dans des vêtements chauds et suis sorti dans le froid glacial à la recherche d'un signal sur mon portable. Quand enfin j'en ai eu un, dans le village voisin, j'ai écouté mes messages, puis j'ai pris un petit déjeuner en lisant un journal pour vérifier si le monde des humains était toujours en activité ou s'il avait explosé, auquel cas je devrais reporter mon retour à Londres.

Après, je me suis assis sur un banc au soleil, j'ai passé quelques coups de téléphone, puis j'ai attendu le bus qui m'a emmené pas très loin de la grange. J'ai fini le trajet à pied et me suis enfermé dans mon bureau pour une nouvelle séance d'isolement créatif. Le trajet en bus coûte 52 pence, soit presque un euro ou un dollar. 52 pence, pas 50 ni 55. Les gens ici savent encore apprécier la valeur d'un penny. Savez-vous pourquoi ? Parce qu'ils ne sont pas pressés.

En effet, plus on est pressé, moins on a le temps de s'embêter avec la petite monnaie. Résultat : on arrondit sans cesse et l'on accorde de moins en moins d'importance aux détails. Mais les détails ont leur importance et vous diminuez les chances d'approcher la vérité en les négligeant.

Étant donné le long développement dans lequel je me suis lancé pour vous raconter cette histoire de pennies, il me faudra très certainement au moins cinq heures de plus que le temps que j'avais initialement prévu pour finir ce livre. Je devrai donc travailler toute la nuit ou me lever à l'aube si je ne veux pas prendre trop de retard.

Mais cela ne veut pas dire que je dois me dépêcher *maintenant*. Cela ne ferait en effet que brouiller mes pensées, ce qui me ralentirait dans mon travail. Pour être vraiment efficace, il faudrait au contraire que j'aille encore plus lentement, que je relâche mes muscles et mon cerveau, que je ralentisse ma respiration de façon à ce que mes pensées s'éclaircissent et que mon écriture s'accélère.

La précipitation crée une accoutumance. La première fois qu'on fait les choses vite, on y prend du plaisir. Mais dès qu'on en prend l'habitude, on ne remarque même plus qu'on fait tout dans la précipitation et on n'en retire plus aucune satisfaction. Généralement, la première fois qu'on se hâte, c'est pour pouvoir faire un maximum de choses en un minimum de temps et ensuite s'affaler dans un fauteuil pour se détendre. Mais dès qu'il y a accoutumance, on ne peut s'empêcher de courir même quand on n'a absolument rien à faire, car le problème, c'est qu'on trouve toujours quelque chose à faire.

Peut-être vous êtes-vous mis à courir pour répondre aux demandes d'autres personnes (vos parents, votre conjoint, vos enfants, vos amis, votre patron), ce qui est très gentil (et aussi très bête !) de votre part, mais comme vous l'aurez peut-être remarqué, plus vous vous dépêchez pour eux, moins vous pouvez vous occuper correctement d'eux. Et lorsque vous n'êtes finalement plus qu'une loque sans force, vos parents vous renient, votre conjoint vous quitte en emmenant les enfants, vos amis vous fuient et votre patron vous met à la porte. Alors vous allez me faire le plaisir de ralentir le rythme, d'accord ?

Avant qu'il soit trop tard, dites : « *C'est ma vie, c'est mon temps, et j'en fais ce que je veux* ». Et si je peux me permettre, je vous suggérerais d'arrêter de courir à partir de… maintenant.

La tendance à se précipiter survient lorsque la région des reins se contracte et que les glandes surrénales surchauffent. Inversement, quand on prend l'habitude de se précipiter, les reins se contractent et leur énergie vitale est propulsée vers le haut, dans les glandes surrénales, entraînant une surchauffe de ces dernières. Résultat : on court encore plus vite.

Pour inverser cette tendance et donc vous libérer du sentiment d'être toujours pressé, commencez par poser les mains sur les hanches et par enfoncer les pouces là où ils se placent, c'est-à-dire le long de l'arête des muscles de part et d'autre de la colonne de façon à produire une douleur forte mais

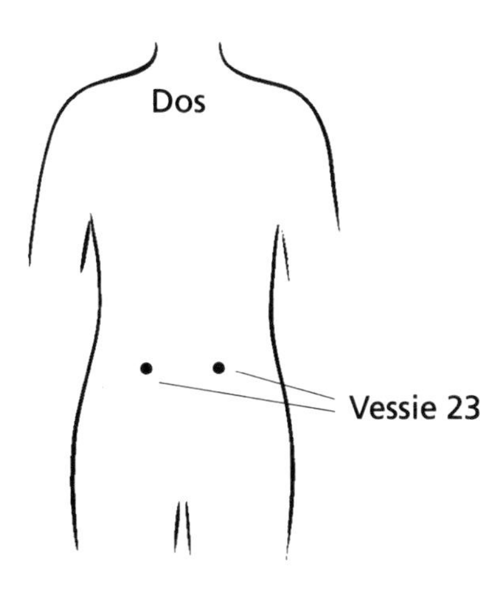

agréable (si vous ne cherchez pas à résister). Plus forte est la contraction, plus forte sera la douleur. Plus longtemps vous pourrez supporter la douleur, plus vite la contraction se relâchera. Maintenez cette pression sans retenir votre respiration pendant environ 80 secondes puis relâchez lentement.

Ensuite, ralentissez votre rythme respiratoire de moitié et, la main posée sur le ventre, concentrez-vous sur votre respiration qui doit être fluide, régulière (l'inspiration et l'expiration doivent être d'égale durée), profonde (le mouvement de votre diaphragme doit faire gonfler votre ventre quand vous inspirez et le faire se contracter lorsque vous expirez), coulante (comme un collier de perles fines) et silencieuse. Puis votre esprit, et ensuite votre énergie vitale, suivront le chemin de votre respiration.

Faites neuf cycles respiratoires complets puis retirez la main de votre ventre et levez-la à hauteur de l'épaule. Faites ensuite, si vous le souhaitez, la promesse suivante :

> *« Je fais la promesse de faire désormais les choses au rythme qui me convient. Plus ce rythme me conviendra, plus je pourrai en faire et plus je serai efficace à long terme. »*

Enfin, en pensant à toutes les choses que vous devez faire et au temps dont vous disposez, joignez les mains à hauteur de votre poitrine comme si vous teniez le délai imparti entre les paumes.

Écartez ensuite lentement les mains, comme si vous étiriez le temps, jusqu'à avoir les bras complètement écartés et dites :

« Je choisis à présent d'étirer le temps afin de pouvoir faire tout ce que je veux facilement, sans effort, agréablement et comme par miracle, et je serai vraiment surpris(e) de voir tout ce que je suis capable de faire. »

Et vous serez vraiment surpris du résultat.

Libérez-vous du système

25

C'est simple, le système n'existe que dans votre imagination.

Le « système » n'est en fait qu'un ensemble de six milliards de gens qui ont réussi, comme leurs ancêtres, à s'organiser entre eux plus ou moins efficacement en formant des groupes à l'intérieur de groupes à l'intérieur de groupes, et ainsi de suite. Chacun de ces groupes porte un nom : « gouvernement », « multinationale », « police », « armée », « Trésor public », « Sécurité sociale », « transports publics », « commerçants de la grand-rue » ou « épiciers du coin ». Mais malgré leurs logos et leurs marques de fabrique, leurs uniformes et leur jargon, ces groupes ne sont jamais composés que d'êtres humains qui connaissent l'amour et la peur, qui dorment et se réveillent, qui vont travailler et rentrent chez eux, qui naissent et meurent, comme vous et moi.

Notre survie à tous dépend de notre capacité à nous organiser car nous sommes des êtres interdépendants. Personne n'échappe à cela, pas même les plus grands ermites. Pas même vous, parce que vous êtes une partie du système. Vouloir vous libérer du système, c'est vouloir vous libérer de vous-même, et ça, c'est tout bonnement impossible.

Arrêtez donc d'en vouloir au système et observez plutôt tout ce que vous avez construit en commun. Acceptez le fait qu'il n'y a pas de système mais seulement des êtres humains, beaucoup d'êtres humains. Et vous savez comment vous y prendre avec eux…

> *Soyez prévenant, gentil, poli, montrez que vous vous souciez d'eux.*
> *Soyez attentif, soyez vigilant, et vous vous en sortirez partout.*

(Dites : « *Je suis prévenant(e), gentil(le), poli(e) et je me soucie des autres. Je suis attentif(ve), je suis vigilant(e), et je m'en sors partout* ».)

Les sentiments de « rage contre la machine », d'aliénation parce que vous croyez être le système et la volonté de vous libérer de tout ça, apparaissent vraisemblablement peu de temps après la naissance, quand nous commençons à nous rendre compte que notre mère n'est pas parfaite et que nous cherchons à nous libérer d'elle.

En fait, le « système », c'est la mère. Le système, c'est le sein qui nous nourrit et nous maintient en vie. Il ne faut donc pas essayer de s'en libérer mais au contraire être très gentil avec lui. Dites : « *Je t'aime, maman* », et le système sera gentil avec vous.

Dans le même temps, posez la paume de la main droite sur la zone de la rate (sous la partie gauche du diaphragme) et massez fermement la chair contre les côtes. Décrivez des petits cercles dans le sens des aiguilles d'une montre (environ 81 cercles). Cela stimulera l'énergie vitale de la rate, laquelle veille à ce que vous ayez tout ce dont vous avez besoin à travers vos transactions avec les autres habitants de la planète.

Et quand vous aurez terminé ce massage, maintenez la main quelques instants en place pour faire pénétrer la chaleur, et dites :

« *Merci* ».

Libérez-vous de l'obsession de vouloir trouver une logique à tout

26

« Ichne laterondi natalion kedumso, ess nachtali inso dus laya in fuschd. »

Ce n'était pas si terrible à prononcer, n'est-ce pas ? J'aimerais pouvoir vous dire qu'il s'agit d'une formule magique en ancien celtique qui lorsqu'elle est prononcée à voix haute permet de gagner X paires de chaussures qu'une vie entière ne suffirait pas à porter. Mais d'abord vous ne me croiriez pas, et puis il y aurait toujours un coupeur de cheveux en quatre pour crier à la supercherie, me jetant aussitôt dans le discrédit. Mais si néanmoins je vous avais dit cela, et si vous m'aviez cru, je suis sûr que vous seriez déjà en train de chercher un sens à mon charabia car il s'agit d'un charabia.

Bien sûr qu'il y a un sens. La façon dont le Tao se manifeste à vous a un sens inné mais pour le percevoir vous devez arrêter de vouloir trouver une logique à tout. Détendez-vous, ayez confiance, observez, discernez, mais cessez de tirer des conclusions. Il n'y a pas de conclusions. Nous vivons dans un éternel continuum. Quand on meurt, l'énergie qui nous constituait nous quitte pour combler un vide. Rien ne s'achève jamais, tout se transforme. N'importe quel physicien vous le dira. Tout tourne dans un mouvement perpétuel, à la manière des planètes tournant autour des étoiles. Alors pourquoi essayer de coller une étiquette sur chaque chose, de tout ranger dans des petites cases bien définies ? le Tao fait que ce qui est doit être.

Ce besoin de tout classifier survient lorsque l'énergie vitale de la rate, responsable du bon fonctionnement de l'intellect, surchauffe et s'affole, entraînant une intellectualisation excessive et un besoin irrépressible de tout ordonner. Pourtant, avec un peu de recul et moins d'intrusion de l'intellect, les choses s'organisent toutes seules, à leur manière, et créent une harmonie parfaite.

Pour vous aider, enfoncez le bout des doigts de la main gauche sous les côtes gauches, à l'avant de la cage thoracique. Renforcez la pression avec l'autre main. Vous devez ressentir une douleur au moment où les doigts rencontrent la rate contractée. (L'énergie vitale de la rate surchauffe en cas de contraction excessive. La pression des doigts fait remonter cette énergie surchauffée dans le cerveau et ce dernier se dit : « trop, c'est trop ».) Ne maintenez pas la pression plus de 80 secondes puis relâchez lentement. Dans le même temps imaginez que tout le surplus d'énergie intellectuelle tombe du cerveau dans la région

de la rate que vous venez de décompresser et qui offre maintenant suffisamment d'espace pour contenir cette énergie.

Pendant les deux ou trois jours (au minimum) qui suivent, ne tirez pas de conclusions, ne collez pas d'étiquettes, ne jugez pas, ne prononcez pas de condamnation contre la vie. Laissez simplement les choses se passer et dites :

> *« Moins j'essaierai de trouver un sens à la vie, plus la vie aura un sens. »*

Dites ensuite :

> *« Ichne laterondi natalion kedumso, ess nachtali inso dus laya in fuschd. »*

Ça peut marcher, on ne sait jamais !

Libérez-vous d'une relation sans avenir

27

C'est simple.

Il suffit de ramasser vos affaires, de vous diriger vers la porte, de poser la main sur la poignée, d'ouvrir la porte en créant une ouverture suffisamment grande pour vous laisser passer, vous et vos affaires, de vous tourner en disant « Salut ! », de vous tourner à nouveau et de vous éloigner. Reste alors à marcher jusqu'à votre voiture, un taxi ou toute forme de transport susceptible de vous emmener jusque chez vous (ou au moins en lieu sûr), et de là, à veiller à ne pas succomber à la tentation de retourner d'où vous venez avant d'avoir laissé passer suffisamment de temps pour pouvoir renouer sereinement le dialogue et discuter calmement de ce qui s'est passé (ou de ce qui ne s'est pas passé) dans vos vies respectives, depuis votre départ jusqu'à ces retrouvailles (si c'est ce que vous souhaitez tous les deux).

Néanmoins, pour pouvoir partir, il faut être sûr d'avoir vraiment envie de s'éloigner. Il faut en outre avoir de la force (pour porter toutes vos affaires !), être résolu (c'est-à-dire prêt à affronter la douleur de la séparation car, même s'il s'agit d'une relation sans avenir, vous vous êtes attaché malgré tout), avoir du courage (pour affronter et supporter la douleur du changement), avoir confiance (et notamment espérer que votre décision portera ses fruits, pour tous les deux), avoir de l'espoir (que l'avenir vous apportera tout ce dont vous aurez besoin pour votre développement personnel, notamment d'être heureux tout seul ou de rencontrer quelqu'un d'autre), avoir de la volonté (de ne pas retourner vers l'autre s'il s'agit vraiment d'une relation sans avenir), des talents de communication (pour négocier la répartition équitable de vos biens, de vos revenus, de vos propriétés, ainsi que pour discuter de la garde des enfants, du chien, du chat, du poisson rouge et de la tortue d'eau douce), de la compassion (à la fois pour soi et pour l'autre), de la grâce (pour apprécier le temps passé ensemble, sans quoi vous aurez juste perdu un temps précieux, et comme la vie est si courte, ce serait dommage), et un certain sens de l'humour (pour pouvoir émailler le récit de votre séparation de gags irrésistibles, sans quoi vos amis s'ennuieront à mourir en vous écoutant raconter votre histoire pour l'ixième fois et finiront par vous laisser tomber).

Commencez par prendre des gouttes de fleurs de Bach à base de noix toutes les heures pour vous aider à tenir le coup pendant cette période de transition, en répétant tandis que vous avalez votre remède : « *Tout changement est bon* ».

Stabilisez ensuite vos émotions en faisant autant d'exercices de renforcement de la partie supérieure de votre corps que possible (pompes, yoga, rameur, etc.). Entre deux exercices, dites : « *Je suis en train de stabiliser mes émotions. Je gère toute cette période de transition avec sang-froid* ».

Vous souffrez horriblement, je sais. Rien de plus terrible en effet que la séparation, à part peut-être la cruauté des gens entre eux ou le fait de se cogner un doigt de pied dans un pied de table (en particulier lorsqu'on est pieds nus). C'est pourquoi le Bouddha prône et enseigne l'absence de liens et d'attaches. Facile à dire, me direz-vous, pour ce petit gros qui n'a jamais connu de relations difficiles ! Pour vous, c'est trop tard car vous êtes déjà lié.

Maître cœur 8

Tout en tâchant de couper ces « liens qui vous lient » (imaginaires), enfoncez successivement le pouce d'une main au centre de la paume de l'autre main pour renforcer l'énergie vitale du maître cœur et dites-vous que dans 90 jours maximum, à un ou deux mois près, vous irez mieux (tous les deux). Dans l'intervalle, voyez les choses comme si vous aviez une mauvaise grippe. Après trois jours horribles, la maladie s'éloigne peu à peu, puis cela va mieux même si vous devez subir une petite rechute sans gravité.

Répétez ensuite :

« J'ai la lucidité, la force, la résolution, le courage, la confiance, la volonté, les talents de communication, la compassion, la grâce et le sens de l'humour nécessaires pour gérer cette situation avec discernement et magnanimité. J'ai la lucidité, la force, la résolution, le courage, la confiance, la volonté, les talents de communication, la compassion, la grâce et le sens de l'humour nécessaires pour gérer cette situation avec discernement et magnanimité. »

Libérez-vous de l'envie de posséder

28

Pour vous libérer de l'envie de posséder, trois possibilités se présentent à vous. Vous pouvez vous retirer dans un monastère ou un couvent, et passer le restant de votre vie à méditer, en veillant à allonger progressivement les périodes où vous n'avez envie de rien (argent, reconnaissance et sexe, entre autres choses), jusqu'à ce que finalement ces intervalles de temps se rejoignent pour ne former qu'une longue suite ininterrompue d'absence d'envie – en un mot, le nirvana.

Vous pouvez aussi passer votre vie à essayer de posséder les choses ou les personnes dont vous avez envie, de façon à ne plus en avoir envie, car c'est bien connu, on ne désire que les choses qu'on ne possède pas.

Vous pouvez enfin associer les deux attitudes en essayant d'obtenir ce dont vous avez envie tout en prêtant attention à votre incessant dialogue interne. Il est important que vous compreniez ou essayiez de comprendre pourquoi vous désirez telle ou telle chose et que vous soyez conscient du sentiment qui vous anime une fois que vous l'avez obtenue. Mais n'oubliez pas que derrière chaque désir, chaque convoitise, se cache le désir d'être chez soi, en paix avec soi-même, et que lorsque la mort s'annonce, tout ce qu'on a voulu, tout ce que l'on possédait disparaît, à l'exception de cette paix intérieure.

Le désir de posséder quelque chose ou quelqu'un ne devient douloureux que lorsque l'énergie vitale de la rate (chargée de faire en sorte que vous soyez satisfait de l'endroit où vous vous trouvez, de la personne avec qui vous êtes, et de ce que vous êtes en train de faire) est faible. Réciproquement, lorsque le désir d'obtenir quelque chose ou quelqu'un devient douloureux, il s'ensuit un affaiblissement de l'énergie vitale de la rate, entraînant un sentiment de mécontentement à l'égard de l'endroit où vous vous trouvez, de la personne avec qui vous êtes, et de ce que vous êtes en train de faire.

Rate 21

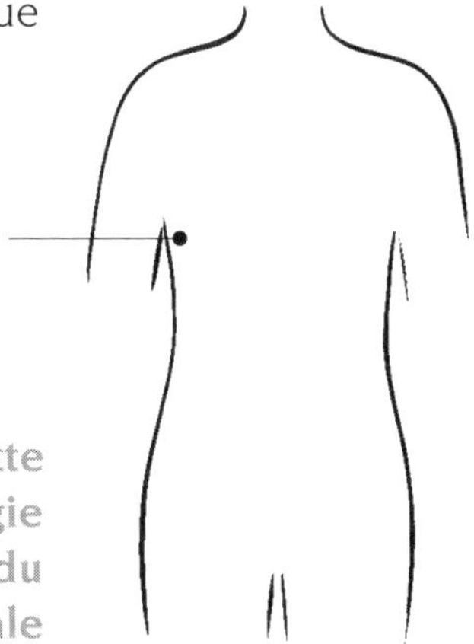

Posez un petit morceau de raifort (radis noir) sur le bout de la langue à 11 heures tous les matins (heure à laquelle la rate est la plus réceptive) ; le seul parfum de cette racine est capable de stimuler l'énergie vitale de la rate. Introduisez également du millet dans votre alimentation ; cette céréale

est connue pour favoriser le renforcement de l'énergie vitale de la rate. Enfin, plusieurs fois dans la journée, croisez les bras sur la poitrine en glissant les mains sous les aisselles. Sans quitter cette position, enfoncez les auriculaires des deux mains fermement dans les côtes, pendant 40 secondes maximum ou pendant le temps qui vous sera nécessaire pour vous souvenir que :

> *« Je suis là où je dois être.*
> *Quand je me détends, ce que je désire c'est ce qui vient à moi. »*

(C'est là que réside le secret, voyez-vous.)

Libérez-vous du besoin d'avoir toujours raison 29

Avoir tort ou avoir raison sont deux notions totalement relatives. En effet, si vous tuez quelqu'un en temps de paix, les autorités et les lois de votre pays vous désapprouveront et vous condamneront (ce qui, si vous me demandez mon avis, est juste, à moins que vous ne tuiez quelqu'un en état de légitime défense).

En revanche, si vous tuez quelqu'un en temps de guerre (quelqu'un du camp ennemi), pour autant que vous soyiez tous deux en uniforme et que vous opériez plus ou moins sous les ordres d'un chef, les autorités et les lois de votre pays vous approuveront et vous décerneront peut-être même une médaille. Si même quelque chose d'aussi extrême, d'aussi horrible que le meurtre peut, en fonction des circonstances, être considéré comme bon ou mauvais, alors « bon » et « mauvais », « raison » et « tort », sont des termes manifestement relatifs.

Et il en va de même pour toutes nos croyances. Une croyance n'est en effet jamais qu'une croyance : on peut avoir raison de croire telle ou telle chose dans certaines circonstances et tort d'y croire dans d'autres circonstances. Vos ancêtres, vos parents, vos prêtres, vos héros, vos modèles, vos médecins, moi, vos amis, vos ennemis, ont tous eu tort ou raison, simultanément, au cours des ans, et vous aussi.

La libération, la liberté de jouir de chaque instant qu'offre la vie, ne peut survenir que lorsqu'on cesse de vouloir à tout prix démêler le vrai du faux, de décider de choisir ceci en éliminant cela. Si vous observez chaque événement comme une simple apparition dans une galerie des glaces, tantôt bon tantôt mauvais selon l'angle, l'éclairage et le contexte, vous comprendrez alors que le seul véritable réconfort ne se trouve qu'en vous. Vous n'aurez plus besoin de défendre vos croyances ou vos opinions, vous ne devrez plus combattre ceux qui défendent des croyances et des opinions différentes (à moins, bien sûr que votre vie ou celle des êtres que vous aimez soit en péril à cause de ces divergences), tout simplement parce que vous n'aurez plus besoin d'avoir raison. Vous pourrez tout aussi bien avoir tort, cela n'aura plus aucune importance. Vous pourrez indifféremment être d'accord ou pas d'accord.

Mais pour en arriver là, vous devez éviter que l'énergie vitale des reins monte dans votre poitrine, comme un vent chaud, entraînant un déséquilibre entre deux éléments, le feu et l'eau (le cœur et les reins, si vous préférez), déséquilibre à l'origine de la suffisance qui anime certains. Vous pouvez essayer de résoudre ce problème en faisant l'exercice suivant.

Tapotez les os de l'intérieur de la cheville avec le bout des doigts, un pied à la fois, pendant environ 60 secondes, pour réveiller l'énergie vitale des reins. Ensuite, joignez le bout des doigts des deux mains de façon à former deux « becs ». Tapotez à présent le centre de votre poitrine avec le bout de ces becs, afin de disperser le vent chaud (de la suffisance). Posez les mains sur les hanches et enfoncez les pouces là où ils se placent, c'est-à-dire le long de l'arête des muscles de part et d'autre de la colonne vertébrale jusqu'à produire une douleur forte mais agréable. Maintenez la pression au maximum 70 secondes puis relâchez lentement afin que la région des reins se détende et libère un peu d'espace pour accueillir le vent chaud dispersé grâce au tapotement.

Dans la boxe chinoise, les combattants apprennent l'art de perdre leur suffisance, de se vider complètement, de sorte que lorsque l'adversaire frappe, ils ne ressentent aucune douleur, aucune humiliation puisqu'il n'y a rien en eux pour ressentir cette douleur et cette humiliation.

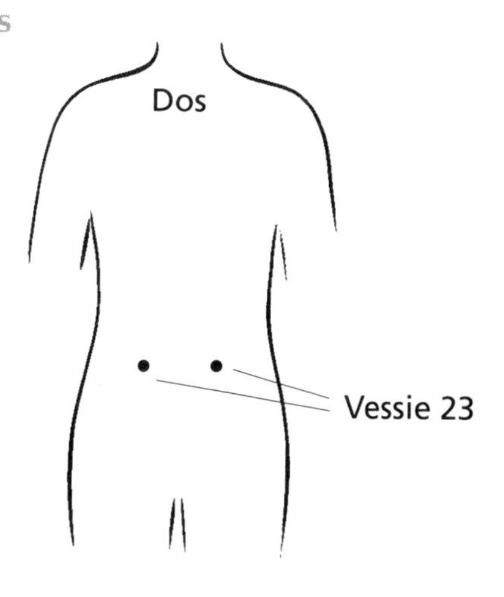

Secouez les mains comme pour évacuer tout sentiment de suffisance, jusqu'à ce que vous vous sentiez « vide », puis dites :

> *« Je ne suis pas ici pour avoir raison. Je ne suis pas ici pour avoir tort. Je suis simplement ici parce que je suis ici. »*

N'ai-je pas raison ?

Libérez-vous de la dépendance

30

Laissez tomber ! Je suis trop dépendant moi-même pour vous être d'un quelconque secours dans ce domaine : accro à cette planète, aux gens, à la respiration, à l'amour, au sentiment de sécurité, à la chaleur, à l'amitié, au sexe, à la communication, à la nourriture, au thé, au jus de fruits, à la musique, au travail, au succès, aux voyages, aux émotions fortes, à l'adrénaline, à la pensée, au taï chi, au bien-être, à l'apparence, aux parfums, au confort, à la civilisation, aux vêtements, à l'argent, à la pollution urbaine (sans blague, je crois bien que je suis en manque de plomb et de carbone dans cette nature trop propre !), au temps, à la santé, à la méditation, à la petite goutte très occasionnelle de scotch, à l'acupuncture, à la vie et même à cette vieille grange en pierre juchée sur ce flanc de montagne sauvage, venteux et glacial du pays de Galles. Mais surtout, je suis accro (comme beaucoup d'entre vous, certainement) à toujours plus : toujours plus de tout ce que j'aime, je veux dire.

Je peux vous aider à vous libérer de l'inquiétude liée au problème de la dépendance, mais pas de la dépendance proprement dite car elle fait partie de l'instinct de l'être humain. La volonté d'avoir toujours plus (plus d'amusement, plus de satisfaction, plus de confort, plus de temps, plus de paix, plus d'amour et, bien sûr, toujours plus d'argent) nous pousse à progresser et à développer de meilleurs outils, de meilleures méthodes, de meilleures idées, de meilleurs moyens de communication, une meilleure organisation, de meilleures lois, de meilleures infrastructures et de meilleurs moyens de défense (défense contre ceux qui cherchent à détourner, s'approprier ou simplement détruire ces améliorations).

Évidemment, ces améliorations peuvent parfois apparaître inexorablement et terriblement lentes. Ainsi, la majorité de la population vit encore aujourd'hui en dessous du seuil de pauvreté tandis qu'une minorité vit douillettement en se plaignant sans cesse de la dureté de la vie, des retards dans les transports en commun, des programmes télévisés exécrables et du prix de l'immobilier. Il y a toujours trop de gens fous, cruels, violents et tordus qui agissent en fonction de leurs névroses et la corruption infiltre de nombreux gouvernements de la planète. Nous allons à une vitesse de tortue quand il s'agit de développer des énergies renouvelables alors que la hausse vertigineuse et ininterrompue des budgets de l'armée ainsi que la puissance des industries d'armement ont pour conséquence de rendre les guerres quasiment nécessaires sur la planète. Enfin la survie de l'économie mondiale repose sur le commerce, la surproduction et l'écoulement des stocks, la prostitution et l'économie parallèle alimentée par le commerce illicite de drogue et d'autres folies comme la course folle du progrès technique.

Néanmoins, on peut dire que les hommes ont parcouru un bon bout de chemin depuis les cavernes, et que donc, tout bien considéré, la dépendance à « toujours plus » (plus de vie et de tout ce qu'elle offre) est une bonne dépendance. Cette dépendance est présente dans nos circuits dès la conception, au moment où la première cellule se divise en deux, puis en quatre et ainsi de suite, jusqu'à ce qu'il y ait tant de cellules que l'utérus de la mère ne puisse plus les contenir toutes. C'est à ce moment-là que l'on naît. Mais les problèmes commencent quand il y a un déséquilibre dans les dépendances. Si l'on symbolise tout ce que la vie a à nous offrir par une corbeille de fruits, notre dépendance naturelle par rapport à la vie est déséquilibrée si nous concentrons tous nos désirs sur un seul fruit dans la corbeille à l'exclusion de tous les autres. Ainsi, quand nous concentrons toute notre attention sur une drogue, au point d'en vouloir toujours plus et d'en oublier de manger, nous nous détruisons et finissons par mourir.

Il faut en fait essayer de gérer correctement nos dépendances (au tabac, à l'alcool, au porno, aux relations destructrices, au sexe, à la masturbation, aux calmants, à l'argent, au travail, au shopping, au vol à l'étalage, aux chips, au chocolat, au sucre, etc.) de façon à ce qu'elles s'équilibrent avec d'autres dépendances, notamment celles aux exercices physiques quotidiens, au yoga, au taï chi, à la méditation, à l'acupuncture, aux massages, à la réflexologie, à la thérapie crânio-sacrée, à l'hypnothérapie, à la psychothérapie, à l'optimisme, à la créativité, à la magnanimité envers autrui et envers soi-même, à la magnanimité des autres envers soi, pour ne citer que quelques exemples. C'est de l'équilibre que naît la libération.

Comme tout taoïste vous le dira, pour que les dépendances s'équilibrent et que les désirs se répartissent entre tous les fruits de la corbeille, vous devez détourner votre attention des aspects négatifs et destructeurs de vous-même pour l'attirer sur les côtés positifs et régénérateurs. Car lorsqu'on se concentre sur quelque chose, cette « chose » quelle qu'elle soit se développe. En d'autres termes, efforcez-vous d'accroître et de développer vos dépendances positives et vos dépendances négatives disparaîtront.

Quand vous prenez une dose, un petit verre, une gorgée ou une lampée de quoi que ce soit, vous ne faites rien d'autre que « téter », inconsciemment, le sein de votre mère, c'est-à-dire la « Grande Mère », la vie, le Tao. Ce besoin inconscient de téter provient du fait que la tétée est le premier soulagement palpable et viscéral du nouveau-né. La tétée rappelle donc l'âge d'or où bien à l'abri dans les bras de notre mère et complètement dépendants d'elle, nous passions un moment délicieux (avant lorsque nous étions dans l'utérus de notre mère, nous étions trop à l'étroit pour bouger à notre guise). Inconsciemment, nous perpétuons cette dépendance afin de retrouver ces instants de bonheur passés avec nous-mêmes, avec le Tao.

Plus vous explorerez et développerez des moyens plus sains d'entrer en contact avec vous-même, moins fort sera votre besoin de compenser la tétée de façon destructive. Tâchez de prendre conscience qu'à chaque « tétée destructive », vous en appelez au Tao, à la « Grande Mère » ou à votre moi supérieur, et faites ainsi en sorte que ces tendances, aussi destructrices soient-elles, deviennent des moments de méditation destinés à vous renforcer.

De la même manière que certains peuples bénissent la nourriture avant de la manger, si avant de prendre, par exemple, une dose de cocaïne, vous déclarez, « *je fais cela pour entrer en contact avec mon moi supérieur* », vous atténuerez (c'est déjà ça !) les dégâts psychologiques et donc énergétiques autrement provoqués par le sentiment de culpabilité et de honte. Il se peut également qu'en « spiritualisant » cet acte destructif, vous invitiez votre « moi supérieur », votre esprit (votre dieu, en d'autres mots) dans l'équation, et il est fort probable que vous deveniez plutôt accro à votre dieu. Enfin, plus vous passerez de temps à faire des choses qui font du bien (y compris vous libérer de votre angoisse par rapport à la dépendance), moins vous aurez de temps pour vous livrer à ces pratiques néfastes. Eh oui, une journée ne compte que 24 heures !

Commencez par vous mettre lentement debout, les pieds parfaitement parallèles, légèrement écartés. Pliez les genoux en relâchant le bassin, étirez la nuque, rentrez le menton, détendez les épaules, respirez calmement, régulièrement et profondément, la langue collée au palais. Faites osciller lentement les bras en tournant la paume vers le haut quand vous levez les bras, et vers le bas quand vous les rabaissez. Effectuez ce mouvement au

maximum 180 fois, en inspirant sur la montée des bras, et en expirant sur leur descente.

À chaque inspiration, dites :

« Je me gorge d'énergie vitale réparatrice. »

Concentrez votre attention sur l'énergie vitale remplissant votre poitrine. À chaque expiration, dites :

« Je choisis ma propre dépendance. »

Répétez ces suggestions tous les jours pendant 90 jours, et vous verrez que d'ici peu, vous n'aurez envie de rien d'autre que de balancer les bras et de chanter :

« Je ne veux qu'une chose
C'est me balancer en rythme. »

Libérez-vous du sentiment de médiocrité sexuelle

31

Obnubilés par les profits et l'indice d'écoute, ceux qui décident du contenu des journaux, des magazines, des livres, des programmes télévisés, des petites annonces et des films gavent nos cerveaux d'images sexuelles, différentes selon les supports. Elles sont présentes en quantités négligeables dans les formes les moins populaires de nourriture cérébrale (notamment dans les journaux de qualité et les livres), mais en quantités considérables dans les formes les plus populaires (notamment à la télévision).

À quelques rares exceptions près, nous avons tous, à un moment ou l'autre de notre existence, cédé à la fascination pour le sexe : le sexe en lui-même, le sexe avec les autres, et le sexe des autres. Cela peut (inconsciemment) être dû au fait que le sexe, comme les drogues et l'alcool, est un moyen instantané d'atteindre un état où la douleur est inexistante et où l'on est en contact avec le royaume invisible mais puissant des sensations. Que vous en soyez conscient ou non, nous cherchons tous instinctivement à être dans l'état où nous ressentons le plus facilement le Tao.

En outre, nous refoulons quotidiennement de l'énergie pour maîtriser nos pulsions sexuelles, les sublimant du mieux que nous pouvons. Soit dit en passant, s'il n'en était pas ainsi, nous coïterions à longueur de journée avec tout ce qui nous taperait dans l'œil, et nous ne ferions plus rien d'autre ! Mais qu'advient-il de toute cette énergie refoulée ? Il faut bien qu'elle se raccroche à quelque chose, qui soit sûr et ne vous mette pas en danger. Alors vous déversez cette énergie dans la lecture d'ouvrages, de magazines qui traitent de sexe, vous écoutez des gens qui en parlent, vous regardez des gens qui font l'amour ou qui y font allusion (dans les annonces publicitaires, à la télévision et au cinéma). Le sexe, c'est ce qui permet au monde de tourner rond. Il ne peut être ignoré. Il attirera toujours notre attention, d'une manière ou d'une autre, qu'on le veuille ou non. Toute l'industrie de l'édition, des médias et de la publicité dépend du sexe pour vendre, et nous sommes tous des pigeons (y compris ceux et celles qui travaillent dans l'édition, les médias et la publicité). On ne peut rien y faire !

Néanmoins, à force de faire une fixation sur le sexe, en particulier au cours des dix dernières années, beaucoup d'idioties ont été véhiculées. La société des humains est ainsi faite : elle aime raconter des idioties ! Et parce que l'on ramène toujours tout au plus petit dénominateur culturel commun, c'est généralement la bêtise et le sensationnel, par opposition à la réflexion, qui s'inscrivent dans nos esprits. Bien sûr, tout ceci pourrait être évité si des enseignants éclairés abordaient, avec leurs jeunes élèves, le thème du sexe et tous ses aspects avec sensibilité, en détail et de façon réaliste, pour éviter que l'ignorance domine.

Mais avant d'en arriver là, et d'ici à ce que le bon sens l'emporte, nous avons tous, ancrée à l'esprit, une idée bien précise de la manière idéale dont nos rapports sexuels devraient se dérouler. Et comme nous sommes tous peu ou prou animés d'un sentiment de médiocrité profonde qui nous met dans un état d'inconfort psycho-affectif stérile, nous traînons cet inconfort jusque dans notre lit et nous en déduisons souvent que nos rapports sexuels avec notre partenaire sont des rapports de troisième ordre.

Nous avons tous, dans notre entourage, au moins une personne qui semble être un véritable dieu du sexe ! Il existe aussi des couples dont les rapports sexuels se bonifient jour après jour. D'autres se vantent de pouvoir faire l'amour dix fois par jour, tous les jours, sans jamais se fatiguer. Il y a des hommes (et des femmes) qui connaissent le corps de leur partenaire comme leur poche, pour qui le point G n'est plus un mystère, qui font un tas de trucs pour atteindre l'extase, qui sont capables de faire l'amour pendant des heures sans s'ennuyer ni ennuyer, qui n'ont aucune inhibition et font tout ce qui leur passe par la tête. Leurs supposées performances vous obsèdent et vous passez votre temps à en parler à vos amis.

Et ces « bêtes de sexe » qui constituent une toute petite minorité passent pour la norme grâce aux médias. Et voilà comment vous

vous retrouvez à errer dans votre ville, la tête remplie d'idées irréalistes sur vous et les autres. Difficile, dès lors, de ne pas se sentir complètement nul quand on se mesure à une norme qui en fait représente l'exception !

Pourtant, vous n'êtes pas médiocre. Sauf si vous le pensez (car ce qu'on pense finit toujours par arriver).

Le sexe, comme la danse, est une forme d'expression partagée (si possible) avec un partenaire. Parfois, vous voulez vous exprimer pleinement, parfois juste un peu. Parfois, vous souhaitez exprimer votre face sombre, parfois votre face lumineuse. Parfois, vous vous sentez tendre, parfois carrément insensible. Parfois, vous souhaitez vous exprimer très souvent, parfois, vous avez envie de vous garder pour vous-même. Il n'y a pas de règle.

Il ne peut pas y avoir de règle. Multipliez par deux (parfois plus) toutes les variables qui entrent en ligne de compte, depuis les fluctuations qui affectent les cycles hormonaux jusqu'aux variations saisonnières, en passant par le temps qu'il fait, la santé, l'état d'esprit, le stress, l'énergie, les complexes, les inhibitions, les humeurs, les attentes, les changements d'odeurs et de sécrétions, l'environnement (affectif et situationnel), la peur de la maladie ou d'être lié pour la vie, les incompréhensions, les blocages dus à un traumatisme sexuel ou à une expérience malheureuse, les désirs étranges qui semblent surgir de nulle part, et vous comprendrez qu'il est miraculeux que nous prenions encore de temps en temps du plaisir à faire l'amour ! Ce serait encore plus miraculeux de pouvoir faire entrer dans un tout petit chapitre un aussi vaste sujet que celui des rapports sexuels.

Toute votre activité sexuelle sur cette planète – vos prouesses, votre force, votre soif, votre expressivité, votre sensibilité, vos performances, votre fréquence, votre plaisir, votre curiosité, votre inventivité et votre excitation – est gouvernée par la force et la qualité de l'énergie vitale des reins. Lorsque cette énergie est puissante et fluide, les pulsions sexuelles trouvent une expression satisfaisante à travers vous en fonction de la situation dans laquelle vous vous trouvez. Si vous faites les exercices suivants pour fortifier l'énergie vitale des reins, pendant plusieurs jours d'affilée, vous reprendrez confiance en vous et votre libido se renforcera. Quant à savoir quel mode d'expression choisir, c'est à vous de voir !

Les mains posées sur les hanches, enfoncez les pouces dans les muscles longeant la colonne vertébrale, lesquels doivent commencer à vous être familiers. Maintenez la pression jusqu'à ressentir une douleur à la fois forte et agréable. Cette douleur pourra se faire ressentir jusque dans le sacrum. Tenez 70 à 80 secondes avant de relâcher lentement et de détendre les

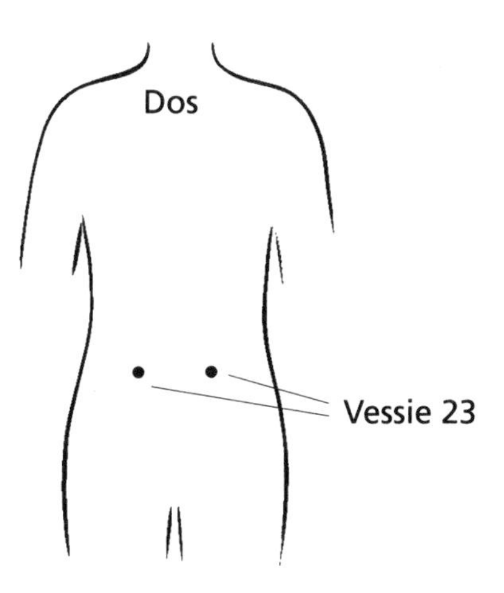

pouces. Cet exercice a pour but de décontracter les reins, ce qui devrait avoir comme conséquence d'améliorer la qualité de l'énergie vitale qu'ils produisent et de renforcer cette énergie.

Avec le dos des mains, frottez vivement et vigoureusement cette même zone (les mouvements ne doivent pas dépasser 10 cm d'envergure) pour produire une forte chaleur. Posez ensuite les mains à plat sur les reins pour faire pénétrer la chaleur et lui permettre de se propager jusque dans les pieds.

Frottez ensuite les paumes de vos mains l'une contre l'autre et lorsqu'elles sont bien chaudes, posez-les sur le pubis de manière à ce que vos doigts se touchent entre les cuisses, et encore une fois, laissez la chaleur pénétrer.

Déplacez ensuite les mains sur vos cuisses puis faites-les descendre le long des cuisses jusqu'aux genoux. Faites-les passer derrière les genoux, puis remontez-les le long de la face interne des cuisses jusqu'au périnée. Refaites cet exercice 9 fois d'affilée. Cela devrait suffire à éveiller le « feu sexuel » dans vos reins et soutenir votre activité sexuelle pendant les prochaines 24 heures comme si vous aviez pris du Viagra !

Si vous suivez scrupuleusement tous ces conseils pendant 90 jours, vous parviendrez à stabiliser votre libido et à atteindre plus facilement l'harmonie sexuelle. Vous émettrez en outre des vibrations énergétiques susceptibles d'attirer à vous d'éventuels partenaires.

Enfin, imprégnez-vous de la maxime suivante en la lisant et relisant :

> *« Ce que je vois, c'est ce qui se passera. Je veux me voir comme un être sexuellement dynamique, fonctionnel et désirable, et c'est ce qui se passera. Les autres, en particulier mes partenaires sexuels le verront aussi. En fait, je suis un être tellement sexuellement dynamique, fonctionnel et désirable que j'en suis presque trop sexy ! »*

Libérez-vous de tendances suicidaires

32

[Ce chapitre ne concerne pas ceux qui demandent une euthanasie pour raisons médicales.]

Le meilleur moyen de se débarrasser d'une tendance suicidaire, c'est de se suicider, en évitant toutefois de se faire exploser dans un lieu bondé ou de provoquer un accident de la route avec une autre voiture, en particulier si cette dernière transporte des passagers qui n'ont peut-être pas spécialement envie de quitter la vie en même temps que vous.

Mais en imaginant que vous ne faisiez disparaître que vous, vous tueriez quand même une partie de chacun de vos proches qui en garderaient une cicatrice pour le restant de leur vie. Ces personnes sont des êtres qui vous aiment et que, quelque part dans votre âme torturée, vous aimez aussi. Et quand bien même vous auriez le sentiment que personne ne vous aime, en vous supprimant, vous anéantissez tout espoir de rencontrer quelqu'un qui vous aimera, car sachez que les occasions d'aimer et d'être aimé ne cessent de se présenter, si vos yeux veulent bien les voir.

Au moment précis où vous broyez du noir plus noir que la nuit la plus noire, où votre colère contre le monde est plus bouillonnante qu'une éruption volcanique et où vos perspectives d'avenir sont plus réduites que la vision de nuit de la taupe la plus myope, au moment précis où vous touchez le fond, la grâce entre dans votre champ énergétique. En d'autres termes, la seconde qui suit celle où vous êtes au plus bas est une seconde où la lumière revient, à condition bien sûr que vous soyez encore là pour la voir, la ressentir, l'entendre et la goûter, et ressentir toutes les autres sensations que la lumière provoquait en vous quand vous aviez encore un corps. Si vous choisissez de mourir, vous ne pourrez changer d'avis et faire demi-tour. Vous n'aurez même plus un cerveau pour changer d'avis. Vous aurez disparu.

Bien sûr, c'est vous qui décidez. Néanmoins, si l'on prend en compte la dose phénoménale de courage dont il faut faire preuve pour organiser et préparer sa propre mort, il serait peut-être prudent, avant de commettre l'irréparable, de passer un peu de temps à imaginer calmement comment serait votre vie si vous utilisiez ce courage de façon constructive.

Vous pourriez, par exemple, commencer par écrire sur une feuille comment vous imaginiez votre vie avant de décider d'y mettre un terme, comment vous la rêviez. Vous pourriez ensuite imaginer que vous utilisiez tout votre courage pour construire votre vie plutôt que de la détruire. Vous comprendriez alors très vite que dans la très courte période suffisante pour que votre corps sans vie commence à se décomposer et à sentir extrêmement mauvais, votre vie aurait déjà changé… en mieux.

Et il n'y a aucun mystère là-dedans. Selon la loi du yin et du yang, l'obscurité est toujours suivie de lumière et vice versa. De plus, les périodes de la vie où l'on fait face au marasme, sans fuir, sont immédiatement suivies de magnifiques compensations. Mais peut-être êtes-vous trop impatient et peut-être suis-je trop sentimental par rapport à tout cela. Après tout, vous ne représentez jamais qu'une vie parmi six milliards, alors on ne va pas en faire tout un plat !

Néanmoins, je crois, comme beaucoup, que la vie est un cadeau inestimable, tellement éphémère, qu'il serait terriblement dommage d'y mettre un terme avant l'heure, aussi affreuse votre situation soit-elle en ce moment.

Commencez par enfoncer le bout des doigts de la main droite sous les côtes avant gauches en renforçant la pression avec l'autre main, jusqu'à ressentir une douleur forte mais agréable. Maintenez la pression pendant au moins 80 secondes puis relâchez lentement. Cet exercice permet d'activer l'énergie vitale de la rate, laquelle est chargée d'assurer votre connexion énergétique avec la planète et donc votre présence sur cette terre.

Ensuite, avec le bout de l'index, appuyez au centre de votre front, à la fois fermement et délicatement, dans un petit renfoncement juste au-dessus de la ligne des sourcils. Maintenez la pression pendant environ 70 secondes puis relâchez lentement de façon à encore sentir la présence de votre doigt après l'avoir enlevé. Lorsqu'il est ainsi stimulé, ce point doit vous aider à gérer votre destin.

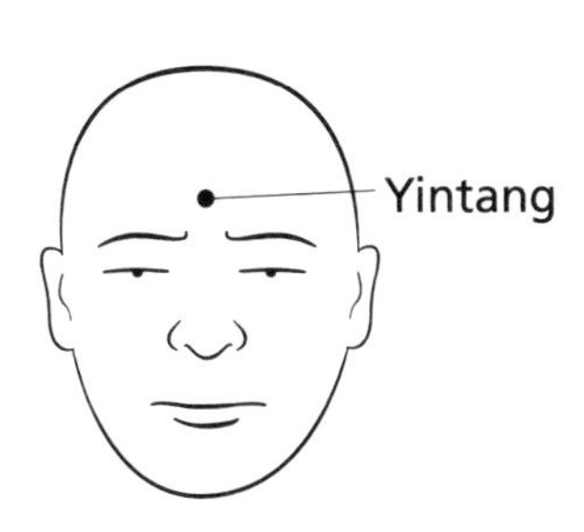

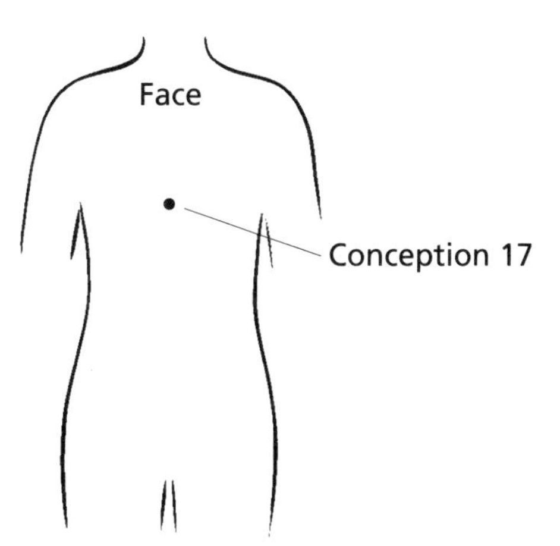

Toujours avec le bout de l'index, appuyez au centre de votre sternum pour stimuler l'énergie vitale du maître cœur et ainsi vous redonner courage. Enfin, dites sur un ton aussi persuasif que possible :

« Aussi risqué que ce soit, je choisis de rester en vie. »

Libérez-vous des soucis d'argent

Je viens d'aider Mike à charger sur sa remorque un vieux poêle que nous sommes allés chercher dans la ferme de son ami Arwel, de l'autre côté de la colline. Aidés d'Emir, le fils d'Arwel, nous avons réussi à charger le gros poêle en fonte sur la remorque et l'avons attaché avec des cordes. Margaret, la femme d'Arwel, observait la scène avec une pointe de tristesse dans le regard, comme si elle assistait au départ d'un vieil ami. Il faut dire que ce poêle avait rendu de bons et loyaux services quatorze années durant et qu'il faisait un peu partie de la famille… Margaret eut l'air embarrassé lorsque Mike lui tendit cent livres (environ 140 euros) en échange du poêle.

Alors que la lumière du petit matin éclairait d'une façon presque sauvage cette scène, baignant la forêt de pins et les mégalithes de la colline, je fus immédiatement frappé par l'immense humilité qui se dégageait naturellement d'Arwel, par les inflexions mélodieuses de sa voix et la douceur de son regard. Cet homme était en parfaite harmonie avec ce monde, il savait apprécier sa chance de se trouver au cœur d'une nature aussi luxuriante, pourtant il devait travailler dur à en juger par l'état impeccable de sa modeste mais solide maison, de la cour de ferme, des granges et même de l'étable.

Peu de mots furent échangés. Ces gens étaient timides et avec eux, la communication s'effectuait à un autre niveau, un niveau où l'on ressent mieux la nature profonde de chacun, pour peu que l'on soit suffisamment sensible et serein.

« J'imagine que vous devez travailler dur », dis-je en balayant l'endroit d'un large geste de la main. « Eh oui… », répondit modestement Arwel, ne sachant trop qu'ajouter, puis il baissa le regard en souriant timidement.

Au moment de partir, nous nous serrâmes chaleureusement la main, et bien que nous n'ayons échangé que quatre phrases, je me sentis touché jusqu'au cœur par la gentillesse et la sincérité de cet homme et de toute sa petite famille.

Sur le chemin du retour, Mike m'expliqua qu'Arwel était le petit-fils d'un homme qui avait inventé l'une des boissons sucrées les plus vendues au monde. Arwel avait hérité de sa fortune et était devenu multimillionnaire. Toute la colline et le vallon que nous parcourions à présent, soit des milliers d'hectares de forêts verdoyantes (sans un seul pylône pour gâcher le paysage), lui appartenaient.

« Ah, ah, je comprends maintenant », vous entends-je ricaner. « Avec son immense fortune, il peut bien se montrer généreux et en harmonie avec ce monde ! » Mais vous vous trompez. Même s'il avait été pauvre comme Job, Arwel aurait été en harmonie avec ce monde, et ce, qu'il ait travaillé comme serveur dans une humble taverne, ou comme loueur d'éléphants à Cheng Mai, ou même comme chauffeur de taxi à Manhattan.

Ce que je veux dire, c'est que lorsqu'on s'entraîne à l'humilité et qu'on accepte le monde tel qu'il est, sans essayer de le changer ni de le contrôler, et que l'on fait sans se plaindre le travail que l'on attend de nous, quel que soit ce travail, on entre naturellement dans un état de grâce où tous nos besoins sont satisfaits. Notre héritage, c'est la Terre et tout l'univers. Peut-être n'hériterons-nous jamais de la fortune d'un grand-père inventif, mais nous aurons toujours tout ce dont nous avons besoin pour ce grand voyage sans destination qu'est la vie, pour peu que nous ayons confiance.

Vous devez parler à l'esprit de la terre, à la mère qui se trouve au cœur de la Terre et lui dire : « Mère, prends soin de moi. Apporte-moi tout ce dont j'ai besoin pour avancer dans la vie, et en retour, je me souviendrai de toi et viendrai de temps en temps te rendre visite ». Pour l'aider à cerner correctement vos nécessités, notez très exactement sur une feuille de papier tout ce dont vous avez besoin, sans tricher. Ce ne sont jamais que des chiffres sur une page. Ils ne vont pas vous sauter à la figure pour vous empoisonner.

La force de la Terre circule dans l'organisme sous forme d'énergie vitale libérée par la rate (organe associé à l'élément Terre), laquelle gère la quantité et la qualité de ce que vous ingurgitez, qu'il s'agisse de nourriture, d'informations ou de biens matériels, puis elle observe comment vous utilisez ce que vous ingurgitez pour enrichir votre corps, votre esprit et votre compte en banque. Quand vous vous inquiétez pour l'argent, l'énergie vitale de la rate s'affaiblit. Et quand l'énergie vitale de la rate est faible, vous vous faites du souci pour l'argent.

Inversement, quand l'énergie vitale de la rate est forte, l'argent afflue rapidement et en grande quantité. Et quand l'argent afflue rapidement et en grande quantité, la rate se renforce, ce qui entraîne des répercussions bénéfiques sur la digestion et la lucidité d'esprit. Et croyez-moi, cet état vous permettra de mieux apprécier les conversations au cours de toutes ces délicieuses soirées auxquelles vous serez convié quand vous serez richissime !

Pour renforcer l'énergie vitale de votre rate et ainsi accroître vos richesses, repérez la bosse saillante à l'intérieur du pied, à la base du gros orteil – là où se développe parfois un oignon. Juste à la base de cette masse, vers vous, se trouve le point source du méridien de la rate. Pressez ce point avec le pouce ou

avec un petit instrument pointu (le bout d'un stylo, par exemple). Maintenez la pression pendant environ 70 secondes, sur chaque pied, de préférence vers 11 heures le matin, heure à laquelle la rate est la plus réceptive aux stimulations. Une pression quotidienne à cet endroit précis aide la rate à extraire davantage d'énergie de sa source élémentaire, la terre en dessous des pieds.

Ensuite, asseyez-vous comme si vous appuyiez le dos à un vieux chêne (ou adossez-vous réellement à un vieux chêne si vous en avez un à portée de main) et imaginez qu'au lieu de feuilles, il tombe de cet arbre des gros billets de banque. Imaginez qu'une pile se forme à vos pieds, représentant des millions, voire des milliards (si vous pensez que vous aurez besoin de tout ça et que vous pourrez tout emporter). Quand vous estimez que le tas de billets est assez important – et souvenez-vous que vous pouvez à chaque instant revenir sous l'arbre – mettez-le dans vos poches, dans un grand sac ou dans un énorme conteneur (selon la taille du tas et les moyens de transports imaginaires à votre disposition), et supposez que vous emportez cet argent pour le verser sur un compte, l'investir ou le dépenser.

Et surtout, ne vous retenez pas ! Souvenez-vous que le vieux chêne a une énergie splénique si débordante qu'il développe de nouvelles feuilles plus rapidement qu'il n'en perd. »

Suivez tous ces conseils quotidiennement ou chaque fois que vous êtes un peu à court d'argent, et comme ce bon Arwel, vous n'aurez plus à vous en faire... sauf bien sûr si vous y tenez vraiment.

Libérez-vous de la hantise d'être toujours en retard

34

En fait, on n'est jamais en retard puisqu'on est toujours là où l'on est censé être, au moment où l'on est censé y être. Par conséquent, le moment où l'on arrive est le moment précis où l'on était censé arriver, pas une seconde avant. Acceptez ce fait et vous serez instantanément libéré de l'impression d'être en retard partout.

Néanmoins, pour respecter les accords passés avec les autres (et avec vous-même), ce qui après tout constitue la base de toute société organisée (et c'est de cette société que dépend votre survie sur terre), vous devez aussi tâcher d'accorder votre « timing » avec celui des autres.

Car autrement, ce serait voler les autres, non pas de leur temps car le temps continue de s'écouler quoi qu'il arrive, mais du bon déroulement de leur planning, troublant leur tranquillité d'esprit. Et lorsque vous troublez la tranquillité d'esprit de quelqu'un, vous troublez également la vôtre, notamment en étant parfois obligé de répondre à des remarques désagréables de ceux qui n'apprécient pas votre retard, mettant en péril votre réputation, voire même votre gagne-pain (si le rendez-vous était de nature professionnelle).

J'ai un ami, Brian Odgers, qui joue de la basse ; c'est un véritable professionnel qui a donné des concerts dans le monde entier en compagnie des plus grands musiciens. Je suis sûr qu'il m'avait été envoyé par les dieux pour m'apprendre le professionnalisme. Il ne cessait de me répéter : « Si tu veux être un pro, arrive à l'heure ! C'est la première règle ! » Il m'a aussi appris que lorsqu'on fait une fausse note en concert, il faut faire la même fausse note directement après (de préférence en rythme) pour faire croire au public que c'était voulu. Mais c'est un tout autre sujet qui pourrait faire l'objet d'un autre livre.

Et c'est vrai : si vous ne voulez pas passer pour quelqu'un sur qui on ne peut pas compter et risquer de manquer des occasions à cause de cela, soyez à l'heure. Cela va nécessiter de votre part que vous établissiez une nouvelle relation avec votre montre car il vous faudra désormais, si vous voulez progresser, garder un œil sur le mouvement de ses aiguilles et une oreille sur son tic-tac régulier.

La plupart des gens qui sont toujours en retard souffrent de désorientation séquentielle. Ils sont incapables d'exécuter dans l'ordre les différents éléments d'une séquence (se laver, s'habiller, rassembler ses affaires, dire au revoir, partir, se rendre à son rendez-vous) qui permettent d'arriver à l'endroit où ils sont attendus à l'heure.

Cette désorientation séquentielle entraîne automatiquement un dérèglement de leur programme.

C'est ainsi que si vous avez rendez-vous avec quelqu'un situé à une heure de route de chez vous, et que l'heure de rendez-vous a été fixée à 8 h 26, vous quitterez la maison à 8 h 32 après une douche rapide (trop rapide parce que vous êtes déjà en retard) et en oubliant vos clés à l'intérieur. Pour éviter ce genre d'embêtement, mieux vaut inscrire sur une grande feuille quelques repères essentiels tels que : douche 6 h 30, rassembler affaires 7 h 00, éteindre ordinateur et lumières 7 h 12, dire au revoir (si nécessaire) 7 h 16, seller la mule 7 h 23, prendre la route 7 h 26, arrivée 8 h 24, attacher la mule et presser la sonnette 8 h 26.

Évidemment, cela implique d'être honnête avec les chiffres, de ne pas les minimiser parce que ça vous arrange. Cela nécessite également de consulter régulièrement le pense-bête qui, bien sûr, doit être bien en vue.

Ce syndrome de la désorientation séquentielle est courant chez ceux dont le caractère est naturellement indécis, et survient lorsque la rate est trop humide. L'énergie vitale de la rate, qui correspond à l'élément Terre, gère la conscience spatio-temporelle.

Pour être désormais à l'heure, et pas seulement par rapport à votre planning personnel mais aussi par rapport à celui des autres, commencez par joindre les pieds, puis glissez le talon du

pied gauche dans le creux du pied droit. Juste à l'endroit où ce creux commence se trouve un point essentiel sur le méridien de la rate. Avec le pouce (ce glissement du pied n'avait pour but que de vous aider à situer ce point) ou avec le bout arrondi d'un petit instrument, pressez ce point précis (là où la chair dure de la plante du pied rencontre la peau plus tendre du dessus du pied), en dirigeant votre pression vers le centre du talon. Vous devez ressentir une douleur intense et vive mais malgré tout agréable. Décrivez des petits cercles avec le pouce (dans le sens des aiguilles d'une montre), « à l'intérieur » du point (pas plus de 81 cercles par pied) pour faire rayonner la douleur dans tout le pied. Cet exercice doit permettre de réchauffer l'énergie vitale de la rate et vous ramener à la réalité en moins de deux si vous faites l'exercice quotidiennement, de préférence vers 11 heures du matin, heure à laquelle la rate est la plus réceptive à la stimulation.

Dans le même temps, imprégnez-vous de la maxime suivante en la lisant et relisant :

« Le temps est mon meilleur ami. Je lui dois la vie. Sans lui, je cesserais d'être. Plus je le respecterai en lui prêtant attention et en étant synchrone avec lui, plus il sera gentil avec moi et plus ma vie sera fluide et fertile. »

Me croiriez-vous si je vous disais que pour terminer ce chapitre, je me suis mis en retard à un dîner que Jeb et Mike (ce dernier est, soit dit en passant, toujours en retard pour tout – sans doute parce qu'il est né à 10 mois) ont organisé ce soir chez un de leurs amis qui souhaite me rencontrer ?

Libérez-vous de l'obsession de vouloir rencontrer le partenaire idéal

35

(y compris de la crainte de ne jamais rencontrer de partenaire du tout)

Il est des personnes plus sages, plus expérimentées et peut-être plus cyniques (si c'est possible) que moi qui vous diront que le partenaire parfait n'existe pas.

Je ne suis pas d'accord pour deux raisons. Premièrement, il n'est pas prouvé que la personne avec laquelle on vit à un moment donné n'est pas le partenaire parfait pour cette période donnée, même si la qualité de la relation ne répond pas à nos attentes. Tout dépend de ce que l'on attend de l'autre. Si vous attendez que votre partenaire soit toujours gentil avec vous, alors qu'il est là pour enrichir votre âme et vous enseigner comment donner et recevoir de l'amour (à travers la douleur ou la joie), alors vous ne pouvez qu'être déçu. En revanche, si vous acceptez le fait que vous êtes ensemble pour vous enrichir mutuellement et apprendre à aimer davantage, alors la personne avec laquelle vous êtes est le parfait partenaire du moment. Mais cela ne signifie pas qu'il n'existe pas quelqu'un d'autre avec qui vous pourriez vous sentir encore mieux.

Nous avons de l'autre que l'image que nous projetons nous-même. En effet, nous projetons inconsciemment sur l'autre les aspects de nous-mêmes qui demandent le plus d'attention, et ces projections nous sont renvoyées. En d'autres termes, si votre ego est parfaitement harmonieux, parfaitement lisse, vous projetterez l'image de la perfection sur l'autre et votre partenaire vous renverra cette perfection (qu'importe ce que ce mot signifie pour vous). Mais tant que n'aurez pas atteint ce stade, vous ne verrez souvent chez l'autre que vos propres défaillances.

Pour dire les choses autrement, la perfection est donc quelque chose que l'on n'expérimente qu'à certains moments, et le partenaire idéal n'est parfait qu'à certains moments. Quant à savoir si ce moment va durer une seconde, un jour ou toute une vie, c'est un sujet qui dépasse le cadre de ce livre et qui aurait plus sa place dans un ouvrage sur les impondérables tels que le sort, le destin, l'astrologie, le libre arbitre, la moralité, les vies antérieures et le karma.

Deuxièmement, vous êtes votre propre partenaire idéal, et vous le resterez tant que vous serez en vie. En effet, votre toute première relation sur cette planète, avant même celle avec le ventre de votre mère, c'est votre relation avec vous-même. Qu'il s'agisse d'une relation entre vos cellules pendant la division, d'une relation entre vos sous-personnalités internes, ou d'une relation entre votre moi et un moi plus universel ou un dieu (le Tao), c'est cette relation que vous projetez sur la personne avec laquelle vous devenez intime et qui vous est ensuite renvoyée.

Donc, vous ne rencontrerez le partenaire idéal ou du moins quelqu'un qui sera toujours agréablement disposé envers vous et vice versa, que lorsque vous projetterez vous-même cette image de perfection. Et vous projetterez cette image dès que vous serez agréablement disposé envers vous-même, en toutes circonstances. Vous comprenez, j'imagine, qu'il va falloir autant de temps à votre partenaire pour vous renvoyer cette image qu'il vous aura fallu de temps pour la projeter.

Si vous êtes obsédé par l'idée de rencontrer quelqu'un, il est indispensable que vous sortiez davantage, preniez plus de risques et soigniez votre image (hygiène, tonus général, coiffure, vêtements, peau, personnalité). Engagez-vous dans des activités qui vous incitent à donner et à recevoir de l'amour : aidez les autres et laissez les autres vous aider, passez du temps avec des gens qui nourrissent les mêmes passions que vous (yoga, tango, art dramatique, taï chi, escalade, arts culinaires, etc.), inscrivez-vous (pourquoi pas ?) dans une agence matrimoniale. Qu'importe ce que vous décidez de faire, l'objectif (rencontrer le partenaire idéal) doit avant tout vous permettre de développer votre ego de façon à ce que vous deveniez d'abord votre propre partenaire idéal.

« En réalité, l'ego ne peut être parfaitement harmonieux que lorsque l'énergie vitale du cœur est équilibrée (et vice versa). Pour atteindre l'équilibre, enfoncez le pouce gauche au creux de l'aisselle droite de façon à produire une douleur vive mais agréable. Tendez ensuite le bras droit sur le côté à hauteur de l'épaule, pliez légèrement le coude et détendez complètement les épaules. Décrivez ensuite des petits cercles vers l'arrière, 18 fois, puis vers l'avant. Faites l'exercice avec l'autre bras. La stimulation de ce point situé sur le méridien du cœur doit permettre de dégager tout blocage de l'énergie qui viendrait autrement s'ajouter à un ego peu harmonieux.

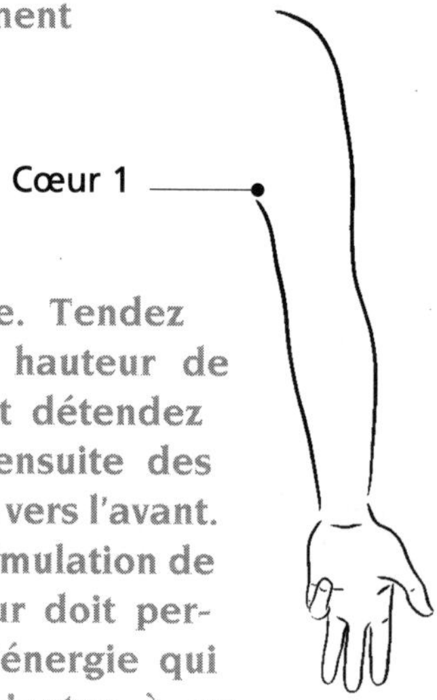

Cœur 1

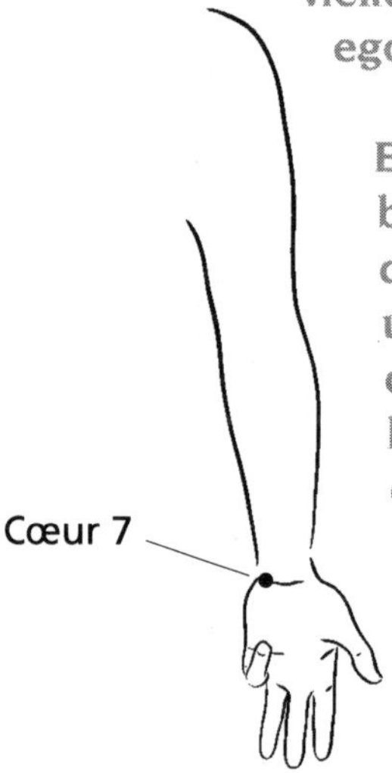

Ensuite, tracez une ligne imaginaire depuis le bout du petit doigt de votre main droite jusqu'au pli de flexion du poignet. Là se trouve un point aussi connu sous le nom de « porte de l'âme ». Enfoncez fermement le pouce de la main gauche à cet endroit jusqu'à produire une douleur à la fois vive et agréable se propageant le long de la ligne imaginaire que vous venez de tracer. Maintenez la pression au maximum 70 secondes sur chaque poignet. Ce point est situé sur le

Cœur 7

70 secondes sur chaque poignet. Ce point est situé sur le méridien du cœur et sa stimulation doit aider le cœur à tirer davantage d'énergie de sa source élémentaire, le feu. L'attisement de ce feu doit à son tour permettre de calmer votre esprit et de vous sentir, pendant un moment, en parfaite harmonie avec vous-même.

La pratique de ces exercices pendant une période moyenne de 90 jours, assortie de l'autosuggestion ci-après, vous aideront à renforcer votre ego et attireront probablement un partenaire parfait (mais temporaire) dans votre sillage. Alors si vous êtes prêt à affronter un bouleversement de votre vie sentimentale, soyez assidu dans la pratique de ces exercices.

Et l'autosuggestion est la suivante :

> *« Malgré tous les doutes que je pourrais éventuellement entretenir, je suis maintenant en parfaite harmonie avec moi-même et n'ai plus besoin d'une confirmation extérieure. De ce fait, j'attire un(e) partenaire parfait(e) (mais temporaire) dans mon sillage et je m'engage à partager avec lui (elle) de l'amour, du respect, de l'admiration, du plaisir, de la joie et de l'aventure ! »*

Libérez-vous d'un travail sans intérêt que vous gardez seulement pour l'argent

36

Vous rêvez depuis longtemps de changer de job pour réaliser un vieux rêve professionnel ou tout simplement, pour faire un travail plus enthousiasmant que celui que vous faites actuellement, mais vous n'osez pas vous lancer parce que vous avez le sentiment que ce serait de la folie.

Peut-être que oui, peut-être que non. Il serait peut-être encore plus fou de ne rien changer à votre situation. Car, comme vous le savez, vous n'avez droit qu'à un tour de manège sur cette planète, du moins dans votre enveloppe charnelle actuelle. Et vous n'avez pas non plus la garantie qu'un autre tour vous soit offert dans une autre enveloppe ! Vous avez donc à tout moment le choix entre une prise de risque minimale, un potentiel personnel réduit, un confort temporaire, une apparente stabilité et sécurité (avec en général l'ennui et la tristesse que cela implique), et une prise de risque maximum, un potentiel personnel optimisé, un inconfort temporaire, une apparente instabilité et insécurité (avec en général l'exaltation et l'euphorie que cela implique).

Faisons un petit jeu. Imaginez-vous à l'instant de votre mort (une éventualité inévitable qui peut survenir à tout moment), quand votre vie défile devant vos yeux (puisqu'il paraît que c'est ce qui arrive), et demandez-vous quel choix vous auriez aimé avoir fait. Quelle que soit votre réponse, elle indique très clairement la direction que vous devez prendre aujourd'hui, à moins que cela ne vous fasse rien d'avoir quelques regrets amers au moment de passer de vie à trépas. (Et ne vous sentez surtout pas obligé, par bravoure existentielle ou simplement pour me faire plaisir, d'opter pour l'alternative risquée).

Mais si vous n'osez pas vous lancer alors que votre choix se porte sur l'alternative risquée, alors arrêtez de vous plaindre et essayez de tirer un peu de plaisir du travail que vous faites, ce que vous devriez d'ailleurs essayer de faire de toute façon, même si vous démissionnez la semaine prochaine.

Et si vous décidez de vous jeter à l'eau, commencez par prendre une inspiration extrêmement profonde et déclarez (tout haut ou dans votre tête) :

> *« Je souhaite maintenant prendre un risque et me lancer dans l'inconnu, car je suis intimement persuadé(e) que la réalité va m'apparaître comme je l'ai toujours rêvée. Je souhaite désormais m'épanouir pleinement jusqu'à la fin de ma vie, avec la conviction que la réalité m'apportera toujours ce dont j'aurai besoin, quand j'en aurai besoin. Je désire maintenant renoncer au confort temporaire pour découvrir le confort intérieur permanent. »*

Vous aurez peut-être envie, si vous êtes amateur de gymnastique et de rituels, de faire cette déclaration debout sur une chaise, puis de crier :

> *« Je me jette dans l'inconnu ! »*

Puis vous vous jetterez de la chaise pour atterrir (sain et sauf) sur le sol, et vous direz :

> *« Je viens de franchir une nouvelle étape dans ma vie. L'aventure peut commencer ! »*

Pour encourager cette audace naissante sur un plan énergétique, posez les mains sur les hanches et enfoncez les pouces là où ils se placent, c'est-à-dire le long de l'arête des muscles de part et d'autre de la colonne, pendant 90 secondes environ. La

pression doit être suffisamment ferme pour produire une douleur à la fois vive et agréable. De cette façon, vous arriverez à relâcher la contraction dans les reins, contraction qui gêne probablement la circulation de l'énergie vitale dans cette zone et qui est souvent à l'origine de la peur du changement.

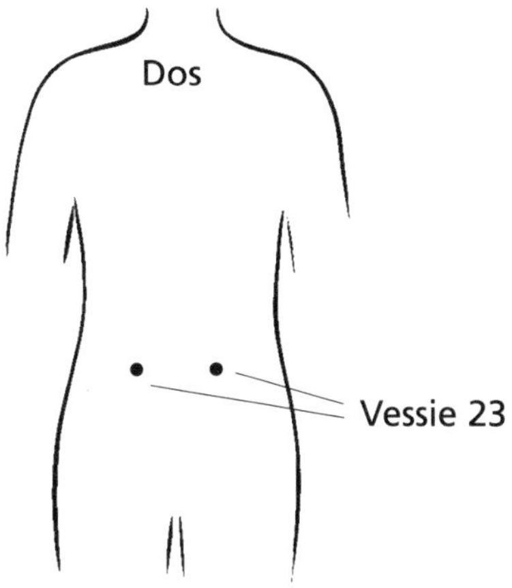

Pressez ensuite le centre de la paume d'une main avec le pouce de l'autre main pendant environ 70 secondes, de façon à produire une douleur vive qui se diffuse dans toute la paume. Refaites l'exercice avec l'autre main. La stimulation de ce point permet de renforcer l'énergie vitale du cœur et vous redonnera confiance maintenant que vous avez décidé de vous lancer (de la chaise, c'est déjà ça !)

Maître cœur 8

Je vais vous raconter une histoire amusante à propos de chaises… Quand j'étais encore un petit garçon, mon père jouait avec moi à un jeu très original qui lui permettait d'avoir quelques moments de calme au cours du week-end. C'était mon jeu favori. Je devais rester assis en silence sur une chaise, dans une pièce, et lui était censé être également assis en silence sur une chaise, mais dans une autre pièce. Celui qui arrivait à tenir ainsi le plus longtemps avait gagné. J'étais très fort à ce jeu car je pouvais rester assis sans bouger pendant de longues minutes, comme en pleine méditation. Puis lorsque mon père n'y tenait plus (du moins, c'est ce que je croyais), il jaillissait dans la pièce d'une manière qui me faisait toujours hurler de rire, et il me proclamait vainqueur. C'est probablement la raison pour laquelle c'était mon jeu préféré – c'était si facile de gagner. Mon jeu préféré… jusqu'au jour où, pour je ne sais quelle raison, je décidai d'aller voir à quoi mon père ressemblait, assis en silence sur sa chaise, et où je le trouvai confortablement installé devant le téléviseur. La morale de cette histoire est la suivante : ne prenez jamais trop au sérieux les histoires où l'on monte sur une chaise pour se jeter dans le vide.

En revanche, n'hésitez pas à vous jeter dans l'inconnu et laissez la vie vous surprendre, car elle vous surprendra si vous lui en laissez l'occasion. Et dans les jours et les semaines qui suivront, une petite voix intérieure vous guidera pas à pas, vous incitera à faire ceci ou cela, à passer un coup de fil, à envoyer un e-mail, à remettre votre démission, à descendre telle ou telle rue, à tourner à gauche ou à droite, et vous verrez que si vous suivez scrupuleusement ses conseils, vous serez plongé en un clin d'œil et sans effort au cœur de votre propre aventure. Et je serai là pour vous encourager. Nous serons tous là pour vous encourager. Bonne chance !

Libérez-vous de l'oppression

37

Les autres se comportent avec vous en fonction de l'image que vous leur envoyez inconsciemment. Si vous vous sentez persécuté par une personne en particulier, par un groupe de personnes ou par tout le monde, c'est parce que vous vous tyrannisez vous-même et que vous projetez sur les autres l'image d'un opprimé. Dès que vous cesserez de vous persécuter, vous n'aurez plus l'impression qu'on vous persécute.

Quand vous arrêtez de vous persécuter vous-même, vous ne vous sentez plus persécuté même dans les situations les plus difficiles. Quand vous ne vous imposez plus de limites mais au contraire permettez à votre esprit d'explorer tout l'espace, vous projetez inconsciemment l'énergie d'un développement sans limites et les circonstances extérieures vous renverront automatiquement cette énergie.

Cela est vrai même dans les situations les plus extrêmes. J'ai eu la chance d'enseigner le taï chi à un vieux monsieur extraordinaire prénommé Israël. C'était un homme à l'esprit vif et d'une sagesse remarquable, toujours souriant. Son enfance avait été terrible car il avait été déporté en Pologne au cours de la seconde guerre mondiale. Il avait vu mourir toute sa famille dans des souffrances atroces, ainsi que la plupart de ses jeunes compagnons mais il était parvenu à survivre aux horreurs d'un camp de concentration. Je lui demandai comment il avait survécu à ces atrocités. « Je ne cessais de me dire que j'étais libre, intérieurement, et je me forçais à bouger », me répondit-il. « Bouger ? Que voulez-vous dire par là ? » Son regard se fit lointain comme s'il remontait le temps : « Je bougeais…, j'avançais avec la vie, je me cramponnais à ce qui était vivant, pas à ce qui était mort, et je refusais de perdre ma dignité ».

Vous connaissez ces poupées avec une base arrondie que l'on appelle « culbuto » : quand vous les poussez dans un sens, elles font mine de tomber puis se redressent. Si vous les poussez dans l'autre sens, elles font pareil. Qu'importe la force ou la direction de votre poussée, elles s'inclinent toujours dans un premier temps puis se remettent à la verticale en tirant parti de l'impulsion que vous leur avez infligée.

Dès que vous vous sentez persécuté, c'est-à-dire « poussé » par les autres, tâchez d'être souple (d'esprit et de corps) à l'image de ces poupées. N'essayez pas de rester droit à tout prix en résistant à la pression, mais cédez avec grâce tout en vous maintenant en équilibre autour de votre axe. Placez votre centre de gravité dans la partie inférieure de l'abdomen et dans la région pelvienne, car si vous le placez dans la partie supérieure de votre corps et dans la tête, vous serez incapable de vous incliner sous la pression, de rouler et de vous redresser. Vous serez, au contraire, mis à terre en moins de deux, et vous serez obligé de mettre en action toute une série de manœuvres pour vous redresser et retrouver votre fierté.

En revanche, en rabaissant votre centre de gravité, en assouplissant votre esprit et en logeant votre énergie vitale au creux de votre ventre, vous pourrez vous incliner sous une poussée, et vous laisser rouler sans perdre votre amour-propre. Plus la poussée sera forte, plus votre contre-poussée aura de force tandis que votre être intérieur restera indemne. Le degré d'oppression que vous ressentez reflète les limitations que vous vous imposez. Plus vous arrêterez de vous limiter, moins vous vous sentirez opprimé par les autres. Les oppressions venues de l'extérieur finiront par ne plus vous affecter du tout.

Jusqu'à présent, vous n'aimiez sans doute pas qu'on vous bouscule car vous aviez l'impression qu'on essayait de vous faire tomber. C'était le modèle linéaire. À partir de maintenant, vous allez voir tout cela d'un œil positif, un peu comme si vous exécutiez quelques pas de danse avec la pression infligée. C'est le modèle circulaire.

Maintenant que vous venez de voir combien il est amusant – en théorie – de vaciller sous la pression, vous allez pouvoir commencer à vous entraîner réellement en vous imprégnant de l'esprit de la poupée à base arrondie. Tenez-vous debout et tendez les bras vers l'avant, coudes légèrement pliés, à hauteur des épaules, et tournez la paume des mains vers vous, comme si vous

mainteniez à la verticale un gros rouleau de moquette ou que vous étreigniez le tronc d'un vieux chêne. Écartez les pieds à l'aplomb des épaules, les plantes bien à plat sur le sol, et pliez les genoux tout en relâchant la partie supérieure du corps. Maintenez votre centre de gravité en dessous du nombril et décrivez des cercles avec votre taille comme si vous faisiez du Hula-Hoop. Imaginez que vous dessinez des cercles sur un plafond imaginaire avec un crayon qui sortirait du sommet de votre crâne. Faites environ neuf cercles, dans les deux sens.

S'il est pratiqué tous les jours, cet exercice doit permettre non seulement de stimuler votre énergie en musclant votre taille et la zone des reins, mais aussi de vous fournir toute une série de métaphores (la moquette, l'arbre, le Hula-Hoop, le crayon et le plafond, sans oublier la poupée à base hémisphérique) auxquelles vous pourrez vous raccrocher pour céder, rouler et vous redresser chaque fois qu'une pression extérieure menacera votre stabilité ou votre paix intérieure.

Une fois que vous aurez terminé de dessiner des cercles au plafond, mettez-vous en boule (une boule minuscule) et imaginez toutes les façons dont vous pourriez vous tyranniser. Dites ensuite :

« Je me libère à présent de cette pression tyrannique que je m'impose et qui entrave la libre expression de mon énergie ! »

Prenez une inspiration profonde et rassemblez mentalement toute cette tyrannie dans votre poitrine, en une petite balle compacte, puis faites un bond énorme en hurlant « H*aaaaaaaaaaaaah* ! », pour faire sortir la balle par la bouche. (Si vous êtes dans l'impossibilité de jouer cette scène, contentez-vous de l'imaginer).

En poussant ce cri libérateur qui n'est autre que le son taoïste apaisant de l'énergie vitale du cœur, vous dégagerez plus facilement l'énergie cardiaque bloquée ou stagnante et pourrez ainsi libérer votre esprit (l'esprit étant gouverné par l'énergie vitale du cœur) de toute tyrannie que vous lui auriez imposée.

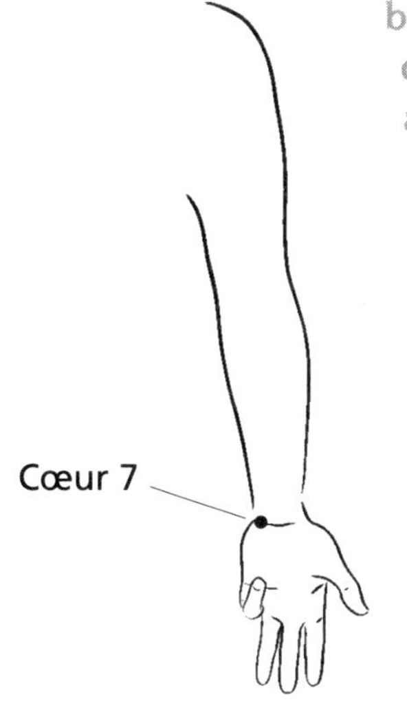

Tracez ensuite une ligne imaginaire depuis le bout du petit doigt de la main droite jusqu'au pli de flexion du poignet. Là se trouve un point aussi connu sous le nom de « porte de l'âme ». Enfoncez fermement le pouce de la main gauche à cet endroit jusqu'à produire une douleur à la fois vive et agréable rayonnant le long de la ligne imaginaire que vous venez de tracer. Maintenez la pression au maximum 70 secondes sur chaque poignet. Faites cet exercice quatre fois par jour. La stimulation de ce point doit aider le cœur à tirer davantage d'énergie de sa source élémentaire, le feu, lequel renforcera ensuite votre âme et votre sens d'espace intérieur infini.

(Pensez aussi à stimuler ce point si vous souffrez de palpitations, de nervosité, ou avant un rendez-vous ou un entretien important, avant de monter sur une scène, ou si vous n'arrivez pas à vous endormir. Lorsqu'il est stimulé, ce point agit en effet comme un analgésique léger, au bout d'environ 10 minutes.)

Enfin, répétez la formule suivante :

> *« Je suis libre de faire ce que je veux. Je n'ai rien à perdre. J'ai tout à gagner. »*

Et d'ici très peu de temps, cette formule vous sera renvoyée. Pensez sans limites, pensez librement, pensez poupée à base arrondie.

”

Libérez-vous de la dépression

38

La dépression, contrairement à ce que vous pourriez penser, n'est pas quelque chose qui vous tombe dessus. La dépression (littéralement, « enfoncement ») est une souffrance que vous vous infligez inconsciemment. Et dès que vous prenez conscience que vous êtes dépressif, vous prenez aussi conscience du choix qui se présente à vous : continuer de vous « enfoncer » ou arrêter. Si vous décidez d'arrêter, il vous faudra du temps pour vous remettre, un peu à l'image d'un coussin qui reprendrait progressivement sa forme après avoir été défoncé.

On dit du foie qu'il héberge notre nature sauvage, notre moi naturel, notre moi profond. Notre moi sauvage crie sans se préoccuper des voisins, court avec délices à travers la forêt à l'aube sans se demander si cela se fait ou pas. Bref c'est notre moi, tel qu'il se montrerait si nous n'avions pas peur d'enfreindre les règles de la vie en société.

Naturellement (bien que ce ne soit pas vraiment naturel), notre nature sauvage doit être contenue pour que nous puissions vivre avec six milliards d'autres individus sur une surface planétaire restreinte. Mais « contenue » ne signifie pas « enfoncée ». Contenir cette énergie signifie « l'héberger » de façon à pouvoir l'utiliser à volonté à travers des modes d'expression qui vous sont bénéfiques ainsi qu'à ceux qui vous entourent. Ces modes d'expression sont notamment le sport, le travail, les échanges sociaux.

L'énergie vitale du foie nous pousse à sortir dans le monde et à « jouer », soit en faisant travailler le corps (et cela va des sports « doux » comme, par exemple, le yoga, le taï chi, la danse, le rock, l'escalade ou même les haltères, aux sports de compétition comme le tennis, le foot, etc.), soit en travaillant pour gagner de l'argent ou défendre une cause, ou simplement en sortant et en faisant la fête. Quand l'énergie vitale du foie est à plat (enfoncée), on n'a pas envie de jouer. Inversement, quand on ne joue pas, l'énergie vitale du foie s'atrophie.

La première chose à faire consiste à retrouver le goût du jeu. Commencez par faire un sport doux pour réapprendre à jouer avec votre corps. Inscrivez-vous à un cours de yoga, de danse du ventre, d'escalade, de danse, bref, faites-vous plaisir. Faites une petite promenade ou un peu de jogging tous les jours. Aérez-vous. Consacrez un peu de temps tous les matins à votre seule personne : faites des étirements ou dansez sur un air entraînant dans votre salle à manger ! Tout ce qui reliera votre corps, votre esprit, votre énergie et votre volonté stimulera l'énergie vitale de

votre foie et vous aidera à sortir de l'ombre votre nature sauvage. Tandis que vous reprendrez progressivement confiance dans votre capacité à relier votre corps à votre esprit et que l'énergie vitale de votre foie recommencera à être fluide, essayez de « prendre des risques » sur votre lieu de travail. Hasardez-vous à intensifier les relations que vous avez avec vos collègues. Allez vers les autres. Adressez des compliments autour de vous, intéressez-vous à la vie de vos collègues, mettez-les au courant de votre fragilité actuelle (sans vous apitoyer sur vous-même) et soyez de plus en plus disponible pour les autres.

Et tandis que vous reprendrez progressivement confiance dans votre capacité à relier votre corps, votre esprit et maintenant le monde extérieur (les autres), approfondissez votre expérience et élargissez votre champ d'interactions à l'arène sociale. Forcez-vous, en douceur, à répondre « oui » à une invitation que vous auriez autrefois déclinée (en espérant que ce ne soit pas une soirée sinistre), invitez vos amis à boire un verre chez vous ou au café, organisez des sorties au restaurant et au lieu de danser tout seul dans votre salon, dansez dans des soirées ou des boîtes de nuit.

Pour stimuler l'énergie vitale de votre foie, lequel doit vous aider dans toutes vos distractions, écartez les pieds à l'aplomb des épaules, genoux fléchis, bassin rentré, colonne bien étirée (en particulier au niveau de la nuque), menton légèrement rentré, mains le long du corps. Respirez calmement et profondément, relâchez l'esprit et le corps, puis inspirez profondément en serrant les poings. Tout en continuant de respirer régulièrement, décrivez de grands cercles avec les poings jusqu'à ce qu'ils se touchent en face de votre poitrine. Tournez les paumes vers le haut en rapprochant les coudes, puis expirez lentement et profondément tout en poussant le cri apaisant de l'énergie vitale du foie : « S*shhhhhhhhhhhhh* ! » Ramenez ensuite les coudes contre votre abdomen, lentement et en douceur.

Faites cet exercice neuf fois d'affilée, en imaginant que chacune de vos inspirations est empreinte d'entrain qui emplirait votre foie (sous les côtes droites), et qu'à chaque expiration, vous évacuez de votre foie toute l'énergie stagnante et fatiguée.

Enfin, prenez quelques gouttes d'un remède de Bach à base de moutarde et déclarez sous forme d'autosuggestion :

> *« Je comprends à présent qu'en étouffant le côté enjoué de mon être, je suis à l'origine de ma dépression. Cette situation me convient tant que je la trouve agréable, utile et enrichissante. Je suis également libre de laisser transparaître la face enjouée de mon être. Je vais donc désormais m'appliquer à éradiquer tout symptôme de dépression, y compris la mélancolie, la haine de soi et l'apitoiement sur soi. Je me libère maintenant, je sors et je m'amuse. »*

(Hourra).

Libérez-vous de la colère contre les autres 39

« Contre », voilà le mot important. La colère est comme un vent chaud qui se lève quand l'énergie vitale du foie s'échauffe, un sirocco que vous projetez tantôt contre un responsable présumé, tantôt – et le plus souvent – contre une personne proche et disponible avec qui vous vivez ou travaillez. Votre colère peut également se déchaîner contre un parfait inconnu qui se retrouve alors mêlé à l'un de ces mouvements de colère imprévisibles qui éclatent aujourd'hui dans la circulation, dans le métro ou l'autobus, dans les gares et les aérogares, et bientôt, pourquoi pas, dans les navettes et stations spatiales si du moins notre violence n'entraîne pas la disparition du genre humain avant que les voyages cosmiques ne se démocratisent.

Réciproquement, quand vous voyez rouge, quand vous sentez la moutarde vous monter au nez, quand vous sortez de vos gonds, l'énergie vitale de votre foie s'échauffe. Dans les deux cas, une bonne régulation de la « température » de l'énergie vitale de votre foie diminue le risque d'accès de colère, et en réduit l'intensité et la durée si d'aventure un accès de colère survient (par exemple, quand quelqu'un vous « pompe l'air gravement »), vous perdrez alors moins de temps ou au service des urgences ou encore au commissariat de police.

Tant pis si un avocat ou un thérapeute du couple quelconque doit me reprocher de gâcher leur métier ! Voici quelques suggestions dans lesquelles puiser si vous êtes sujet aux accès de colère.

Pour éviter la surchauffe hépatique, buvez au moins cinq tasses par jour d'une infusion de fleurs de chrysanthème séchées, disponibles dans les herboristeries et les boutiques chinoises (mais n'utilisez que des fleurs séchées et non les sachets qui contiennent aussi du sucre). Vous pouvez aller jusqu'à sept tasses en période prémenstruelle (sauf, bien sûr, si vous êtes un homme !)

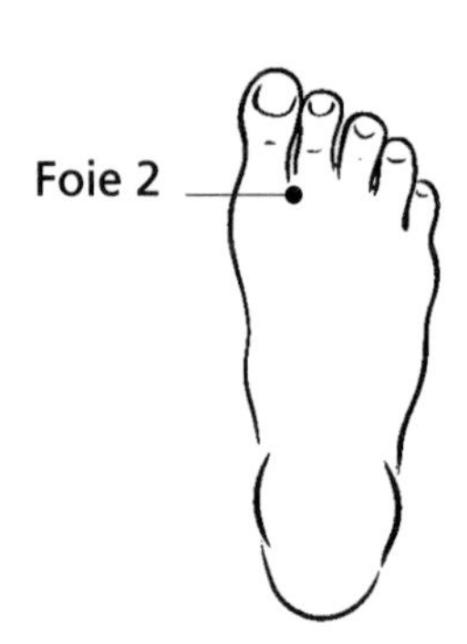

Pincez fermement la chair séparant le gros orteil et le suivant entre le pouce et l'index, et imprimez à la chair, jusqu'à 24 fois, un petit mouvement circulaire dans le sens inverse des aiguilles d'une montre. La stimulation de ce point contribuera à l'apaisement du feu de votre méridien hépatique et, par conséquent, de votre colère, petite ou grande. Celle-ci pourra alors s'exprimer d'une

manière socialement plus appropriée que la version explosive et fulminante (genre Hiroshima), sans pour autant que vous vous sentiez frustré ou injustement traité.

Enfin, seul et tranquille, les pieds écartés à l'aplomb des épaules, les genoux fléchis, le bassin légèrement rentré, la colonne vertébrale étirée en particulier au niveau de la nuque, la langue collée au palais, le menton légèrement rentré, les épaules et les bras parfaitement détendus, faites pivoter le buste d'une vingtaine de centimètres alternativement à gauche et à droite en laissant vos bras, à tour de rôle et au rythme des mouvements de la taille, se balancer devant vous comme pour frapper un adversaire imaginaire.

À chacun de ces balancements, gardez la main ouverte, puis refermez vos doigts sur la paume quand votre bras finit de se déployer. Ceci, si vos épaules et vos bras restent bien souples, peut produire un mouvement et un son (la tape des doigts sur la paume) qui rappellent ceux du fouet. Parlez pour rythmer les coups. Répétez des incantations, comme par exemple :

> *« Je te déteste, toi espèce d'enfoiré, je t'écrabouille, je te mets en bouillie. »*

Ou quelque chose d'aussi stupide.

À mesure que vous assénez vos coups de fouet et vos mantras, laissez votre adversaire invisible se métamorphoser librement en d'autres antagonistes sur qui vos coups continuent de pleuvoir. Et la personne contre qui vous croyez être en colère peut ainsi devenir votre partenaire (si ce n'était déjà lui), un parent, que sais-je, même moi (bon d'accord, c'est peu probable !), jusqu'à ce qu'apparaisse votre propre petite personne si le nombre de rotations de la taille est suffisant. Après tout, vous êtes le seul être réel sur les lieux. C'est à ce moment-là que vous réalisez que vous n'êtes qu'un grand bêta.

C'est vrai, vous vous êtes pris trop au sérieux. En comprenant cela, l'énergie vitale de votre foie s'apaise, et peut-être commencez-vous à sourire, puis à rire, et un fou rire irrépressible vous secoue à tel point que votre voisin, ne supportant plus votre chahut et n'ayant pas encore lu ce livre, laisse éclater sa colère, fracasse votre porte et vous met en bouillie. Et c'est bien fait pour vous qui m'avez traité d'enfoiré !

Si la colère persiste, n'attendez pas d'en être malade : ressaisissez-vous et poussez le cri taoïste.

Le corps dans la même position que ci-dessus, les bras le long du corps, serrez les poings. Au lieu de donner des coups, inspirez profondément et concentrez en pensée toute votre colère dans une affreuse petite balle compacte. Les bras légèrement pliés et les épaules décontractées, soulevez lentement et simultanément vos poings sur les côtés d'abord, puis devant vous, en décrivant un grand cercle jusqu'à ce que vos poings se rejoignent face à votre poitrine.

Ensuite, écartez les bras en tournant les paumes vers l'avant, comme un artiste sur scène prêt à saluer. La gorge parfaitement décontractée, et du plus profond de votre corps, laissez s'échapper par votre bouche, avec une force sans précédent, un rugissement en forme de « Haa ! » Ne laissez pas le son s'estomper, mais mettez-y fin de façon abrupte et restez immobile dans le silence soudain (silence tout relatif, sauf si vous êtes, comme moi, isolé dans une vieille grange en pierre ou si vous habitez dans une caverne).

La méthode peut être délicate à appliquer si vous êtes en ville ou même dans un village et que vous ne voulez pas passer auprès des voisins pour un malade mental en herbe (surtout que, quand ils viendront vous chercher, ils trouveront ce livre ouvert à cette page, et que je serai cuit moi aussi). Cependant, vous préserverez votre réputation si vous n'abusez pas de l'exercice (une fois par mois devrait suffire, puisqu'il entraîne une puissante libération de l'énergie hépatique surchauffée). Et si votre éclat de voix est de courte durée, les voisins penseront qu'ils ont mal entendu.

Les exercices de ce genre vous deviendront familiers et stabiliseront la « température » de votre énergie vitale hépatique. Si, ensuite, vous voulez exprimer votre colère contre une personne qui le mérite (du moins, à votre avis), respirez d'abord au moins neuf fois profondément avant d'expliquer votre irritation d'une voix aussi détendue, calme et stable que possible : « *Je suis fâché* ». Puis ajoutez : « *parce que je pense que vous avez bla-bla-bla*… Et *ce que j'aimerais c'est que vous bla-bla-bla* ». Rien que des choses raisonnables. Et comme aucune de vos phrases ne commence par un « vous », la réponse de votre interlocuteur ne devrait pas être hostile, sauf, évidemment, s'il n'a pas lu ce livre (encore le même affreux voisin peut-être) et vous met en bouillie en hurlant : « *Tu sais où tu peux te les mettre, tes exercices de communication, petit con (ou petite conne)* ? »

Pour ce genre de mésaventure, imprégnez-vous de la maxime suivante en la lisant et relisant (au moins six fois) jusqu'à ce qu'elle pénètre votre inconscient :

> *« Maintenant je peux et je veux exprimer ma colère, mon irritation, ma rage, positivement, poliment, avec compassion, fermeté et efficacité, contre qui que ce soit et quel qu'en soit l'enjeu. »*

Libérez-vous de l'anxiété

40

L'anxiété peut être considérée et traitée comme une « dépendance », mais comme ses manifestations sont difficiles à observer en milieu hospitalier, elle est rarement soignée dans des centres spécialisés. Vous pouvez cependant vous soigner vous-même si vous choisissez d'être patient et persévérant, car l'anxiété crée une accoutumance et est difficile à éradiquer.

La forme chronique de l'anxiété consomme en grandes quantités l'énergie vitale de vos reins. Or cette dernière doit normalement contribuer au bon fonctionnement et à l'entretien de vos systèmes nerveux, immunitaire, urogénital et reproducteur, et de la charpente osseuse, tout en vous assurant entrain et vigueur. Elle permet également de nourrir votre imagination et votre soif d'innovation et de progrès. L'anxiété vous rend moins efficace au quotidien, davantage sujet à commettre des erreurs et vous pousse à douter de vous. Tout ceci affaiblit l'énergie vitale de vos reins, ce qui augmente encore votre anxiété.

Inversement, si vous consolidez votre énergie rénale, vous réduirez votre penchant à l'anxiété à tel point qu'un jour, quand vous serez stable et équilibré, vous cesserez de vous faire du souci quelles que soient les circonstances.

L'anxiété est surtout une peur imaginaire que vous déclenchez pour un oui pour un non (la cause pouvant aussi être imaginaire) pour mettre en route sans raison valable un flux d'adrénaline. L'adrénaline est normalement destinée, lors de moments de vrai danger, à vous aider physiquement à surmonter la peur qui, sans cela, réduirait vos chances de survie dans les situations extrêmes. L'adrénaline est comme une drogue : vous vous sentez invincible, mais vous succombez à la dépendance.

Les glandes surrénales se situent sur le sommet des reins, plus ou moins derrière l'estomac. Pour les Orientaux, l'adrénaline se confond avec le « feu rénal », c'est-à-dire l'élément qui empêche l'énergie vitale de vos reins (associée à l'élément « eau ») de trop se refroidir, empêchant du même coup vos reins de se contracter et de générer de l'anxiété.

Lorsque l'adrénaline est stimulée à propos de tout et de rien (en dehors des cas, bien sûr, où vous êtes réellement en danger et des cas où vous craignez pour votre vie ou pour celle des gens que vous aimez), vos glandes surrénales faiblissent progressivement, elles produisent, stockent et déchargent moins d'adrénaline. Or cette adrénaline vous fera cruellement défaut quand vous vous trouverez face à une vraie menace.

À la longue, l'adrénaline (ou « feu rénal ») s'affaiblit à un point tel qu'elle n'arrive plus à maintenir l'énergie vitale des reins à une température suffisante, ce qui finit par provoquer chez vous une anxiété extrême proche de la panique et de la paranoïa, à miner votre santé au point de déclencher toute une série de problèmes physiques (dont l'énumération serait profondément barbante – pour vous comme pour moi ! – et transformerait cet ouvrage en l'un de ces livres pseudomédicaux remplis de listes de maux).

Vous angoissez pour générer du feu rénal, parce que vous aimez cela et que vous êtes accro. Ensuite, votre esprit projette cette anxiété sur le premier « objet » possible et, habilement, fait passer l'objet choisi pour la cause véritable de l'anxiété (comme n'importe quel bon prestidigitateur pourrait le faire – et il n'y a pas meilleur prestidigitateur que votre propre esprit). Prenons un exemple : vous apprenez que votre situation financière s'est dégradée, ce qui, en conséquence, déclenche chez vous une crise d'angoisse. En réalité, inconsciemment, votre esprit saisit toutes les occasions de permettre à vos surrénales de sécréter leur hormone, et la péripétie financière devient une cause d'anxiété permettant de décharger l'adrénaline. Quelqu'un dont l'énergie rénale est équilibrée, disons quelqu'un qui se sent solide et bien dans sa peau et qui n'est pas accro à l'adrénaline, se sentirait assurément soucieux face à la même situation, mais agirait au mieux de ses intérêts sans succomber à l'angoisse et sans gaspiller son énergie.

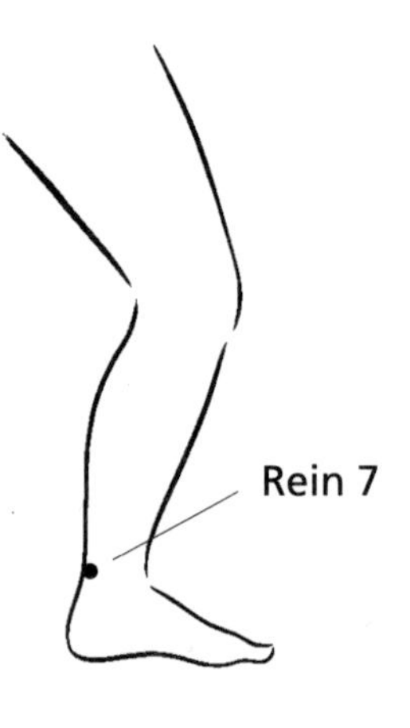

Pour stabiliser et contrôler votre « feu rénal » et consolider l'énergie vitale de vos reins afin de désapprendre à répondre systématiquement aux péripéties de la vie par l'anxiété, commencez par inspecter votre jambe dénudée, en particulier la région de la cheville (en dedans, côté tibia). L'astragale étant pointée à l'avant vers le gros orteil et à l'arrière vers le tendon d'Achille, tracez un trait depuis l'arrière de la saillie de la cheville vers le haut à l'intérieur de la jambe sur 3,5 à 4 cm, en restant à environ 2,5 cm de l'arête du tibia : c'est là que vous trouverez un léger creux. Appuyez fermement à cet endroit, avec le pouce ou un objet approprié (comme le bout d'un manche de pinceau), pas plus de 80 secondes, de manière à produire une douleur vive mais agréable qui irradie dans le côté et l'arrière du mollet. Répétez cette action sur l'autre jambe. Exercez-vous tous les jours de préférence vers 17 heures lorsque le « feu rénal » et l'énergie vitale des reins sont davantage réceptifs à la stimulation, pendant 90 jours ou chaque fois que vous vous sentez angoissé.

Ensuite, avec le pouce et le bout de l'index réunis, appuyez au centre de votre sacrum et frottez, prestement mais avec douceur, latéralement, sur 1 cm environ d'un côté puis de l'autre, pas plus de 90 secondes, pour stimuler la production et la circulation du feu rénal. Accessoirement, cela stimulera aussi votre énergie sexuelle, mais n'en abusez pas sous peine de vous transformer en vieux satyre ou en nymphomane insatiable.

Pour débloquer ou empêcher le blocage de l'énergie vitale des reins par stagnation ou refroidissement et pour soulager ou prévenir la contraction de la région des reins (et donc l'anxiété et l'angoisse qu'elle occasionne), placez les mains sur vos hanches et appuyez fort à l'endroit où vos pouces se placent, c'est-à-dire le long de l'arête des muscles (que vous connaissez bien maintenant si vous lisez les chapitres dans l'ordre et que vous n'êtes ni dans le coma ni amnésique) de part et d'autre de la colonne vertébrale. Maintenez la pression, pendant deux minutes maximum, assez fort pour produire une douleur vive mais agréable qui peut irradier latéralement ou vers le bas ou dans le ventre.

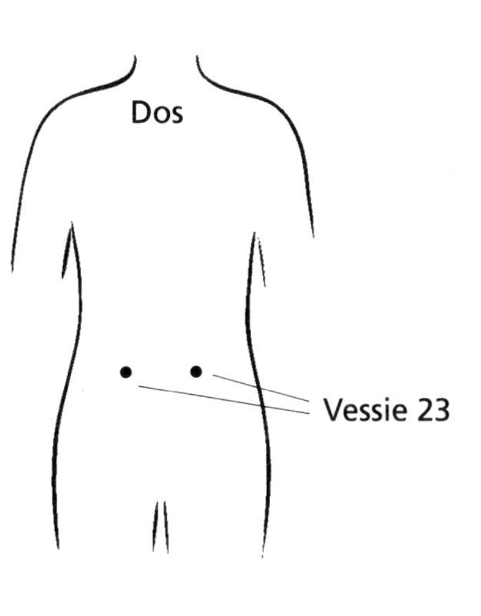

Respirez ensuite profondément, une ou plusieurs fois, et dites avec conviction :

> « L'*angoisse est un choix que je fais seulement quand elle me semble agréable et utile.* Personne *ne m'oblige à choisir systématiquement l'angoisse.* Je *peux très bien, face aux aléas et aux défis, préférer me détendre et gérer le problème en faisant confiance à la vie.* »

Ou dites simplement :

> « Anxiété, *disparais de ma vie* ! Moi *je me détends, je ne m'inquiète pas et je relativise.* »

Bien sûr, détendez-vous, et laisser la réalité agir. C'est mieux.

Libérez-vous de l'impression de passer à côté

41

Vous ne ratez jamais une occasion. Où que vous soyez, vous êtes toujours au centre de l'action. Plus vous croyez cela, plus vous serez au centre (et réciproquement), et, par conséquent, plus les gens se sentiront attirés par vous, vous qui êtes en passe de devenir le meilleur aimant social du monde, car la nature tout entière (y compris le genre humain) s'organise autour de pôles solides. En revanche, moins vous croyez cela, plus vous vous dites que l'action se passe ailleurs, en dehors de vous, à votre insu, et moins les gens seront attirés par vous, et plus vous suivrez les autres à la recherche, désespérée et vaine, du centre de l'action.

Sentir que vous « passez à côté » implique quatre éléments (qui se chevauchent en partie) : l'insatisfaction quant à votre situation actuelle, la crainte que la vie réelle vous ait largué, la perception tronquée de vous-même, une mémoire défaillante.

Les situations ne paraissent bonnes ou mauvaises que comparativement à d'autres. Si vous vous remettez d'une fracture des deux jambes, un petit tour dans la rue est un événement notable. Si vous revenez d'une randonnée de deux mois dans les Andes, suivie de quinze jours de farniente au soleil de Punto d'Este, un petit tour dans la rue vous paraît parfaitement insignifiant. Votre vie actuelle vous semble peut-être terne et monotone, mais, comparée à la mort, elle est aussi éblouissante et palpitante qu'une fête superbe avec les stars les plus en vogue sur le plus beau yacht de Saint-Tropez. Gardez tout cela à l'esprit, et vous verrez que tout ce qui nous est donné au-delà de la simple respiration est un plus ! Votre insatisfaction peut être causée par la situation, mais c'est le plus souvent le résultat d'une déficience de l'énergie vitale de la rate (même si, de prime abord, cela semble incroyable). Quand l'énergie vitale de votre rate est forte, la situation dans laquelle vous êtes vous satisfait (même si elle est relativement décevante). Mais quand l'énergie vitale de votre rate est faible, votre situation vous déçoit (même si elle est relativement satisfaisante). Réciproquement, un état de déception affaiblit l'énergie vitale de la rate, tandis qu'un état de satisfaction la renforce.

Se sentir bien dans sa peau, avoir une bonne perception de soi-même, avoir la certitude d'être sur la bonne voie (même si le but n'est pas atteint), en d'autres mots ressentir profondément que vous êtes au cœur de l'action, dénotent une solide énergie vitale du cœur. En revanche, un sentiment (même sans objet précis) de manque, d'insuffisance, traduit une énergie cardiaque affaiblie. Inversement, quand vous vous sentez vraiment bien dans votre peau, l'énergie vitale de votre cœur se renforce, et quand vous souffrez d'un sentiment de manque ou d'insuffisance, elle décline.

Souffrir du manque d'une chose dont tout le monde dispose (et penser que vous êtes seul à ressentir cela, ce qui n'est évidemment pas vraisemblable), montre que vous ne croyez plus que les aléas de la vie concrète peuvent déboucher sur quelque chose de positif. Par exemple : samedi soir, vous n'êtes pas allé en boîte, et pas une seule seconde l'idée ne vous effleure que, si vous y étiez allé, vous vous seriez sans doute fait alpaguer par une fille (ou un gars) qui très vite vous aurait brisé le cœur, ou que, peut-être, en cours de route, votre taxi aurait été détourné par des terroristes ! En revanche, si vous vous en remettez aux réalités de la vie, vous penserez qu'être seul chez vous, plutôt qu'en boîte, est une chance, car le programme télé est extra ce soir.

Accepter la réalité, même quand ce n'est pas évident, suppose que vous ne soyez pas angoissé, l'absence d'angoisse étant elle-même le fruit d'une énergie vitale rénale forte. Quand l'énergie vitale de vos reins est robuste, vous vous fiez aux réalités concrètes (même si tout semble un peu détraqué). En revanche, une énergie rénale affaiblie vous rend anxieux et vous incite à vous méfier des réalités (même si elles semblent vous être favorables). Et puis la réalité se vexe, se détourne un peu de vous pour préférer s'amuser avec quelqu'un de plus drôle, et, en représailles, choisit de vous oublier, vous donnant ainsi ce que vous croyez être un bon motif pour lui ôter totalement votre confiance, ce qui vous angoisse encore davantage et affaiblit d'autant plus l'énergie vitale de vos reins.

Vous oubliez que parfois c'est vous qui êtes au centre de l'action, captant l'attention de tous, faisant rire, soulevant l'admiration… Et que parfois c'est quelqu'un d'autre qui est au centre. Quelle que soit la nature de vos espoirs, soyez patient et vous obtiendrez ce que vous souhaitez aussi sûrement que le yin devient le yang et réciproquement. L'oublier, c'est être victime d'une énergie vitale de la rate trop peu efficace, responsable d'une mémoire défaillante.

Pour mettre toutes les chances de votre côté de vous sentir toujours au cœur de l'action, commencez par examiner votre jambe droite. Tracez une ligne depuis la saillie intérieure de la cheville vers le haut, le long du muscle au bord de votre tibia, jusqu'à ce que vous découvriez, à une distance d'environ 7,5 cm, une très légère dépression. Avec le pouce ou un instrument adéquat (baguette ou extrémité de manche de cuiller en bois), appuyez à cet endroit, pas plus de 70 secondes, pour causer une douleur agréable qui se propage en direction de la cheville. Faites la même chose sur la jambe gauche. Ce point est l'un des plus actifs du méridien splénique : sa stimulation influence vos niveaux de satisfaction et votre mémoire. De plus, il est en contact avec le méridien rénal (de même que le méridien hépatique), et sa stimulation atténue la peur existentielle (cette peur de n'être pas au bon endroit au bon moment).

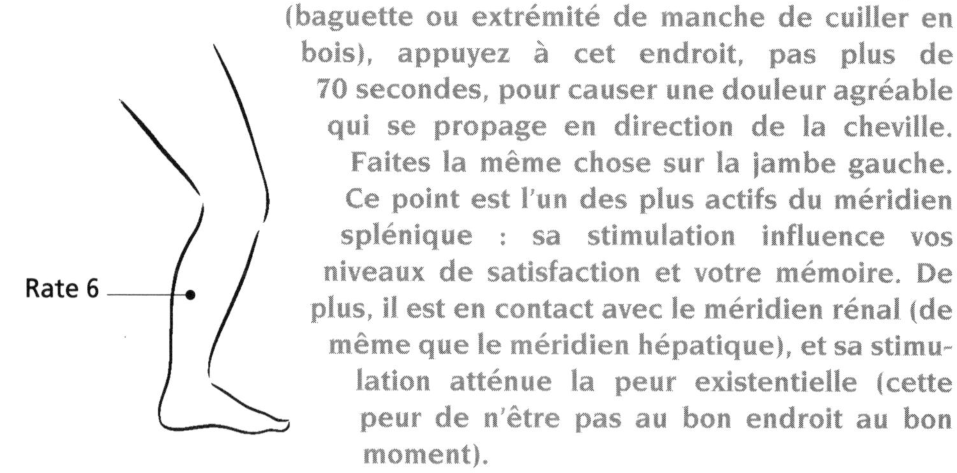

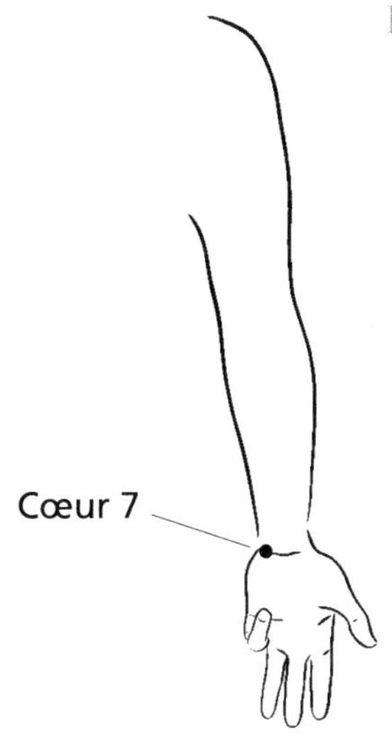

Ensuite, observez la paume de votre main droite et tracez une ligne imaginaire depuis le bout du petit doigt jusqu'au pli de flexion du poignet. Là se trouve un point aussi appelé « porte de l'âme », situé sur le méridien du cœur. La stimulation de ce point soutient (entre autres choses) la perception que vous avez de vous-même et de votre valeur. Enfoncez le pouce à cet endroit pendant 70 secondes maximum, avec suffisamment de force pour produire une douleur qui remonte vers votre auriculaire. Faites la même chose sur votre poignet gauche.

Maintenant, asseyez-vous confortablement, le dos plutôt droit mais sans forcer, en respirant calmement et régulièrement. Fermez les yeux et laissez votre esprit, en quelque sorte, descendre dans votre abdomen jusqu'au point appelé la « mer d'énergie », votre centre de gravité. Prenez conscience de l'activité des milliards d'habitants de cette planète et imaginez que vous en êtes le centre, que vous en êtes le pivot. Renforcez cette image en vous imprégnant de ce refrain :

« Je suis toujours au bon endroit au bon moment, j'y fais ce qu'il faut et j'obtiens le résultat voulu. »

Libérez-vous de l'influence importune des autres

42

Vous n'arrivez généralement pas à vous décider parce que les rapports que vous entretenez avec vous-même ne sont pas suffisamment étroits, et, lorsque les options possibles ne vous plaisent pas, vous ne trouvez pas le courage de dire non par crainte de voir vos proches se vexer et se détourner de vous.

Ceci se produit lorsqu'il y a conflit entre « le feu » et « l'eau », entre l'énergie vitale du cœur et celle des reins, l'énergie du cœur gérant la perception de soi et la propension au dialogue intérieur que celle-ci implique, l'énergie rénale quant à elle protégeant contre l'emprise de la peur et soutenant la volonté de vivre comme on l'entend.

“Pour stimuler l'énergie vitale de votre cœur et de vos reins, serrez d'abord les poings et, de l'angle que forme l'auriculaire, frappez doucement et en cadence le centre de votre sternum

pendant environ 180 secondes en psalmodiant, d'une voix grave et vibrante, le son taoïste apaisant de l'énergie vitale du cœur : « Haaaaaaaaah ! »

Arrêtez le son brusquement, écartez les bras comme si vous vous prépariez à étreindre quelqu'un que vous aimez. Rapprochez vos bras devant vous jusqu'à ce que vos doigts se touchent, les paumes tournées vers vous. D'un geste de repli sur vous-même, ramenez vos paumes vers vous, appuyez-les au centre de votre poitrine, et, dans cette sorte d'auto-enlacement doux et rassurant, déclarez :

> *« Je suis maintenant parfaitement en accord avec moi-même »*

(ou quelque chose d'un peu plus funky, si vous vous sentez inspiré).

Avec le dos des mains, frottez-vous énergiquement le dos entre la taille et les côtes inférieures, sur une dizaine de centimètres alternativement vers le bas puis vers le haut, pendant 200 secondes, tout en gardant les épaules et les bras décontractés et en respirant calmement et régulièrement. Une fois terminé, maintenez les mains sur la zone des reins et laissez la chaleur pénétrer. Ensuite, le dos des mains toujours appliqué dans votre dos, inspirez profondément et – assis ou debout, les genoux très légèrement pliés – courbez-vous en deux très fort mais sans forcer, puis psalmodiez, d'une voix grave et vibrante,

l'apaisant son taoïste de l'énergie vitale des reins : « *Fffuuuuuuiiiiiiii* ! » Arrêtez le son brusquement juste avant de manquer de souffle et redressez le torse en inspirant. Vous voilà prêt à refaire ce cycle six fois. Terminez en plaçant vos mains sur les genoux et en déclarant :

> *« Je fais mes choix moi-même. Je fais mes choix moi-même. Tant pis si les autres veulent me faire hésiter. Je reste inébranlable. Je reste inébranlable. »*

Libérez-vous du passé (et du futur)

Prenez conscience de votre respiration. Laissez inspiration et expiration adopter un rythme harmonieux et fluide. L'infime fraction de seconde, presque imperceptible, entre l'inspiration et l'expiration est au cœur du moment présent. À cet instant, l'air que contiennent vos poumons, c'est la plus grande portion du passé que votre organisme arrive à retenir. Expirer cet air, le souffler devant vous, c'est vous projeter aussi loin que possible – physiquement – dans le futur. Tout ce qui se situe en dehors de ces paramètres relève de la mémoire et de l'imagination.

Si vous le souhaitez, et sans attendre, observez avec lucidité votre respiration : pensez « passé » lors de l'inspiration, pensez « présent » dans l'intervalle et pensez « futur » pendant l'expiration. Vous serez agréablement surpris, au bout de neuf cycles inspiration-expiration, de vous sentir plus fort, plus euphorique.

Si vous m'avez lu jusqu'ici, vous connaissez déjà suffisamment ma méthode pour deviner que c'est l'énergie vitale de vos poumons qui contribue à vous donner conscience de « l'ici » et du « maintenant ». C'est vrai à la fois sur le plan physique et sur le plan métaphysique. Et comme vous le savez, si votre respiration s'arrête pendant un moment, vous ne tarderez pas à vous retrouver « là-bas » et « alors » (c'est-à-dire qu'en d'autres mots vous appartiendrez au passé).

Quand l'énergie vitale des poumons est affaiblie, vous n'expirez pas à fond et restez raccroché au passé (l'air que vous avez inspiré). L'énergie « passéiste » s'accumule et stagne dans vos poumons, elle pollue votre conscience du présent et, par là, vous fait passer à côté des choses de la vie. Quand votre énergie vitale pulmonaire est surchauffée ou trop abondante du fait d'une dépendance à l'adrénaline – ce « feu rénal » qui s'étend vers votre poitrine – vous passez beaucoup de temps à projeter dans un futur imaginaire des bribes d'expériences passées, en manquant la vraie vie, celle qui se passe dans le présent.

Pour tirer désormais le maximum de chaque moment de la vie, de votre premier à votre dernier souffle, et pour rester pleinement conscient de la qualité du présent, apprenez à équilibrer l'énergie vitale de vos poumons.

Observez la paume de votre main gauche et repérez l'endroit où la base du pouce rejoint le pli de flexion du poignet. C'est là que passe l'artère radiale. Appuyez précisément à cet endroit – point

source du méridien des poumons – avec le pouce de la main droite. Si vous maintenez la pression pendant 70 secondes, suffisamment fort pour produire une douleur bienfaisante qui se diffuse dans le poignet et le pouce, votre méridien pulmonaire se chargera d'une plus grande quantité d'énergie vitale en provenance de son élément source : l'air (que la tradition assimile au métal, mais cela n'a rien à voir avec notre sujet). Ceci contribuera à équilibrer votre système énergétique interne et vous aidera à rester concentré sur la réalité, libéré de l'asservissement aux choses passées et aux projections dans l'avenir.

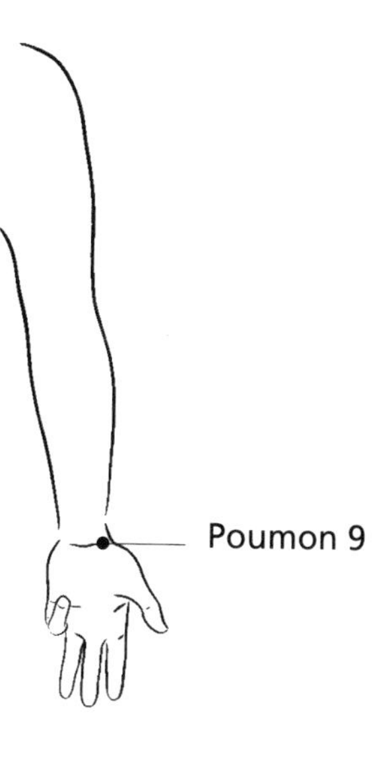

Ensuite, inspirez profondément en levant les bras au-dessus de votre tête pour ouvrir votre cage thoracique au maximum. Expirez en sifflant, comme un serpent, le son taoïste apaisant de l'énergie vitale des poumons : « *Ssssssss* ! » Inspirez en ramenant vos bras le long de votre corps. Répétez le cycle jusqu'à neuf fois en vous disant que le sifflement est le bruit d'un compresseur qui, à la fois, nettoie vos poumons et les revigore.

Enfin, tenez-vous droit, écartez les pieds de 40 à 50 cm, fléchissez les genoux, le bassin rentré et la colonne vertébrale étirée (surtout au niveau de la nuque), le menton rentré, les paumes jointes devant la poitrine dans une attitude « de prière ». Puis, déclarez :

> *« Je me libère maintenant complètement du passé et de tous les fardeaux (choses et gens) dont je ne veux plus m'encombrer. »*

Inspirez profondément en pensant aux sentiments (angoisse, doute, impatience, intolérance, auto-flagellation, insatisfaction, mélancolie, stress, etc.) dont vous souhaitez vous détourner, et aux gens dont vous préférez ne pas croiser le chemin (du moins pour le moment). Ce faisant, gardez les épaules décontractées, les bras écartés à hauteur des épaules (comme si vous étiez crucifié). Concentrez-vous sur la paume de vos mains et chassez par là, en même temps que vous expirez, tout ce qui paraît négatif en vous.

Puis, inspirez en tournant vos paumes vers l'avant, les coudes légèrement pliés, comme si vous vous prépariez à étreindre, dans un geste d'accueil, le moment présent et tout le bien qu'il peut vous apporter. Et dites :

> *« J'accueille chaleureusement le moment présent et tout le bien qu'il m'apporte : santé, longévité, paix, amour, amitié, prospérité, succès, joie, satisfaction, enthousiasme, aventure et toutes choses qui peuvent m'épanouir en ce moment. »*

(Évidemment, vous pouvez établir la liste de votre choix.)

Répétez la procédure jusqu'à neuf fois, ou jusqu'à ce que vous soyez assuré d'avoir vraiment bien joué la scène. Puis dites, chantez ou murmurez :

> *« Adieu aux choses passées et bienvenue aux choses à venir, mais seuls m'importent aujourd'hui, le présent et ses plaisirs. »*

Puis, sortez et détendez-vous.

Libérez-vous du chagrin

44

Je vous ai déjà dit que j'ai gravi Angel Mountain pour la dernière fois le lendemain du jour où Ronny Laing est mort alors qu'il était en train de gagner un match de tennis à Saint-Tropez, le 14 août 1989, si ma mémoire est bonne (mais je n'ai pas pris le temps de presser un point du méridien splénique pour vérifier). Ironie du sort, c'était l'anniversaire de Jeb, et nous étions à la campagne, buvant du champagne à la santé de Jeb et à la mémoire de Ronny. (Si vous vous posez la question depuis un petit moment, je vous rappelle que Jeb est une femme). Au milieu de ces bulles de champagne, des larmes que l'on essuyait et des nez que l'on mouchait, je me souviens avoir été pris d'un fou rire nerveux qui a failli m'étouffer.

En janvier 1996, un autre vieil ami et mentor, Frank Kramer, est mort. C'est Frank qui, méticuleusement, m'a appris comment respirer pour gérer les peines et les désarrois de la vie, jusqu'à ce qu'ils s'apaisent et disparaissent (comme toute chose finit par disparaître si vous respirez suffisamment longtemps). Et le processus de deuil s'est réamorcé : j'ai eu un nouvel accès de rire nerveux entre deux sanglots.

Le chagrin affaiblit et altère l'énergie vitale des poumons. Quand vous avez de la peine, vous avez tendance à ne pas respirer profondément, car (souvenez-vous du chapitre précédent) vous cherchez alors à vous raccrocher au passé, au souvenir de la personne perdue (en cas de décès comme dans les exemples ci-dessus, mais aussi quelles que soient les causes de séparation). Le rire nerveux (tout comme les sanglots) est un moyen dont votre corps dispose pour calmer votre diaphragme et permettre à vos poumons de fonctionner normalement ; il n'est pas (nécessairement) le signe d'un déséquilibre ou d'un manque de respect.

Pendant les trois premiers jours qui suivent leur mort, l'esprit et l'énergie des disparus continuent de planer, en quelque sorte, dans l'espace, et il est bon de les honorer en respectant cette présence (maintenant invisible, bien que tangible si l'on n'est pas tout à fait anesthésié). Si, en état de choc, vous acceptez l'immersion dans le chagrin en vous abandonnant à l'émotion, aux larmes, aux rires nerveux, vous recevrez leur cadeau d'adieu : la substance même de leur sagesse traditionnelle appliquée à votre vie. En d'autres mots, si vous êtes réceptif, ils vous parleront et vous transmettront ce qu'il faut que vous sachiez, dans une communication qui prendra les formes du dialogue que vous avez toujours entretenu avec eux.

Après trois jours environ, l'esprit du disparu s'estompe et le contact s'affaiblit. À ce stade, ne cherchez pas à vous accrocher : vous ne feriez que lester l'esprit du disparu, l'empêchant de s'élever vers sa nouvelle destinée. Ensuite, le bon sens commun nous apprend qu'il faut en général le temps de deux orbites autour du soleil (c'est-à-dire deux années) pour se remettre complètement, accepter de vivre sans la présence physique de la personne aimée sur notre planète et passer du chagrin à l'acceptation de la disparition.

Cependant, vous « faites votre deuil » plus facilement, plus vite et dans des conditions moins douloureuses, lorsque vous pouvez stimuler la circulation de l'énergie vitale de vos poumons. Pour ce faire, observez l'intérieur de votre bras dénudé. Dans le pli du coude, repérez, au milieu, le passage de deux tendons. Avec le pouce, appuyez sur cet endroit, suffisamment fermement pour provoquer une douleur légèrement paralysante, pendant 40 secondes maximum, afin d'activer l'énergie vitale de vos poumons. Ne stimulez ce point – particulièrement puissant – que dans les situations difficiles (grande tristesse, grave crise d'asthme), car si vous le stimulez pour un oui pour un non, l'énergie vitale de vos poumons pourrait se retrouver en grand désarroi.

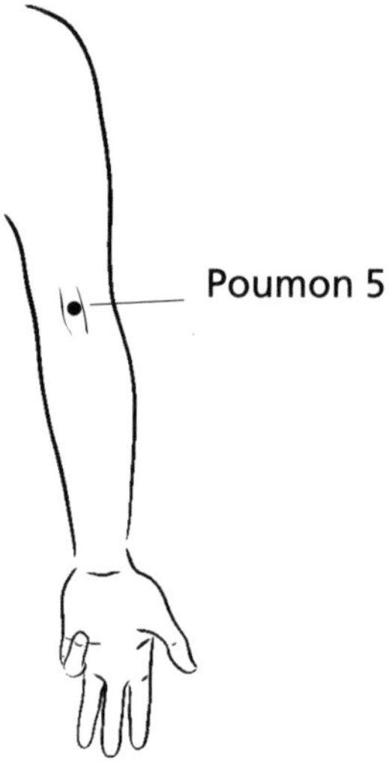

Poumon 5

En un sens, voir des gens que l'on aime, que l'on respecte disparaître avant nous rend l'idée de la mort moins effrayante. Si ce

n'est pas mal pour eux de disparaître et de ne pas revenir, alors ce n'est pas mal non plus, ni pour vous ni pour moi. Concrètement – et tout scientifique vous le confirmera – l'énergie et, en conséquence, la conscience ne se perdent pas : elles sont seulement déplacées. Et si vous ne les voyez plus, elles n'en existent pas moins pour autant. Déclarez simplement :

> *« Il n'y a pas de fin, pas de commencement, que le continuum de la vie ; bien sûr il y a des frontières, mais tout cela n'est que théâtre, et nous ne faisons rien d'autre que jouer notre rôle. »*

Allons, voilà que vous récitez mes vers.

Libérez-vous d'une mémoire défaillante

45

Euh... euh (comme dirait George W. Bush), qu'est-ce que je voulais dire ? J'ai oublié... Mes pensées se sont envolées le temps de venir de la grange à la maison et les seules choses comestibles que j'ai laissées dans la grange sont des graines de tournesol dont j'ai suffisamment mangé pour me faire pousser mon propre petit carré de fleurs intérieur. Sans doute l'énergie vitale de ma rate fatigue-t-elle un peu.

En effet, l'énergie de la rate gère le système mémoriel, lequel a tendance à tomber régulièrement en panne l'âge venant, en même temps que la rate faiblit, d'où la difficulté à retrouver sur notre banque de données, certains noms, images, définitions, visages, emplacement des clés de voiture ou cachettes. Cette « banque de données » est contrôlée par l'énergie vitale du cœur. En cas de d'amnésie totale ou partielle, il faut souvent incriminer une grave perturbation, parfois définitive, du flux énergétique cardiaque. Mais de simples trous de mémoire ou une incapacité du système mémoriel à retrouver certains fichiers ou documents, sont généralement dus à une faiblesse de la rate.

Faites d'abord l'autosuggestion suivante : « *J'accède désormais à tous mes fichiers et documents à ma guise. Je me souviens de tout dans les moindres détails.* » Ensuite, repérez la bosse saillante à l'intérieur du pied, à la base du gros orteil – là où on développe parfois un oignon. Pressez la bosse à l'endroit où la peau rugueuse de la plante du pied rencontre la peau plus tendre du dessus du pied, à l'extrémité la plus proche de vous, soit avec un petit instrument pointu (le bout d'un stylo, par exemple), soit avec le pouce, en recherchant le point le plus sensible sur le méridien de la rate. Maintenez la pression jusqu'à produire une douleur à la fois forte et agréable, et décrivez des petits cercles (pas plus de 36) pour encourager la rate à extraire davantage d'énergie de son élément, la terre, laquelle activera à son tour votre mémoire. Par ailleurs, déposez un petit morceau de raifort (radis noir) sur le bout de la langue, tous les matins aux environs de 11 heures (quand le méridien de la rate est le plus réceptif à la stimulation). Son seul parfum déclenchera automatiquement un renforcement de la rate.

L'énergie vitale de la rate gère aussi le tonus musculaire. Ainsi, quand l'énergie de la rate est faible, le tonus musculaire diminue. Et quand l'énergie de la rate est forte, le tonus musculaire se maintient, même en l'absence d'exercices de musculation. Il en va de même pour la mémoire qui peut être assimilée à un muscle. Ainsi, plus vous exercerez votre mémoire, plus vous l'entretiendrez. Défiez-la régulièrement avec des jeux tels que : apprendre des nouveaux mots, mémoriser des poèmes, apprendre une nouvelle langue, retenir le nom des invités au cours d'une soirée (répétez six fois le nom dans votre tête tout en associant les noms et les visages dans votre esprit), retenir une mélodie, etc.

Et je voulais ajouter autre chose… Mais j'ai oublié ! Ce qui est sûr, c'est que vous stimulerez votre mémoire si vous prononcez la formule suivante ou une formule du même genre :

« Ma mémoire est si incroyablement bonne que je pourrais la manger ! »

Libérez-vous de la peur de la maladie

Tous les organismes vivant sur cette planète développent des maladies et simultanément des moyens de guérison. Personne ne peut échapper à cela, pas même en vivant dans une bulle. C'est de cette façon que l'on naît de rien (le vide qui n'est pas vide, le Tao), que l'on grandit jusqu'à maturité puis que l'on retourne d'où l'on vient.

Tant que le potentiel de guérison est plus élevé que celui de la maladie, on peut espérer vivre une journée de plus, voire une nuit de plus. Il est illusoire d'espérer davantage même si vous faites tout ce que vous pouvez pour programmer vos cellules afin de vivre en bonne santé jusqu'à un âge avancé. Dites à présent :

> *« Mon inconscient programme actuellement toutes les cellules de mon organisme pour assurer ma longévité. Je choisis de vivre en bonne santé jusqu'à un âge avancé. »*

Une telle autosuggestion est exactement ce dont votre inconscient a besoin pour contrer votre peur (inconsciente et refoulée) de l'immobilité, de l'incontinence, de la souffrance et bien sûr de la mort.

En effet, la peur ne fait qu'entraîner un gaspillage de l'énergie vitale des reins, énergie qui serait autrement utilisée pour renforcer le système immunitaire. Par ailleurs, plus on est détendu, mieux les organes fonctionnent, ce qui est une bonne chose en matière de santé et de longévité. Lorsque l'énergie vitale des reins est renforcée, la peur diminue et l'immunité se renforce.

Alors, plutôt que de faire une fixation sur vos maux, concentrez-vous sur ce qui va bien en vous. C'est la seule façon de renforcer votre système immunitaire (votre énergie défensive, si vous préférez). Évidemment, il y a bien d'autres facteurs qui contribuent au bien-être, notamment bien dormir, bien manger en prenant le temps, faire régulièrement des exercices (taï chi, yoga, musculation, promenade au grand air quand le temps le permet), donner et recevoir de l'amour, faire ce qui vous plaît le plus souvent possible, vider régulièrement vos intestins et votre vessie, faire régulièrement l'amour sans vous sentir coupable, être généreux, être ouvert, se développer sans cesse en acquérant de nouvelles connaissances et en se lançant des défis, être comme un enfant, être souple, être courageux, être extravagant, s'aimer soi-même, penser du bien de soi (et des autres), avoir une bonne hygiène, partir régulièrement en vacances, se reposer, ne pas laisser le ressentiment prendre toute la place, pardonner (à vous-même et aux autres), éviter le stress, y aller mollo avec les substances toxiques, ne pas être trop dur avec vous-même, parer les disputes et les bagarres, éviter les balles perdues au cours d'attaques terroristes, fuir les tremblements de terre, les raz-de-marée et autres catastrophes naturelles, et enfin, être toujours sensible à votre « moi supérieur », votre dieu, votre Tao, ou quel que soit le nom que vous donnez à cette chose ineffable mais si précieuse.

Posez les mains sur les hanches et enfoncez les pouces là où ils se placent, c'est-à-dire le long de l'arête des muscles de part et d'autre de la colonne, jusqu'à ressentir une douleur à la fois vive et agréable rayonnant jusque dans les hanches. Maintenez la pression suffisamment longtemps de manière à sentir un relâchement dans les reins. Dites ensuite :

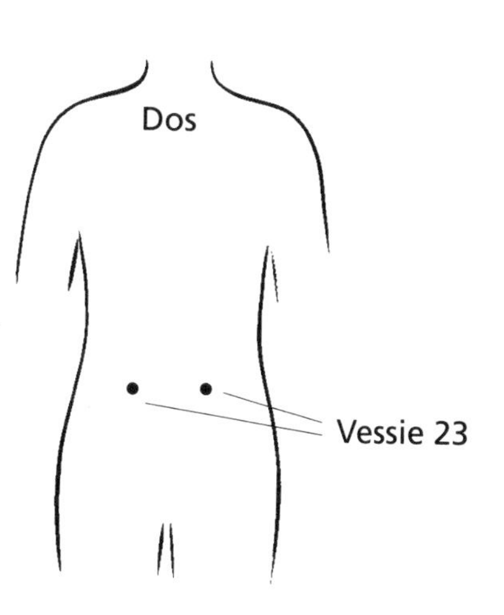

« Mon inconscient est en train de transformer automatiquement et instantanément ma peur de la maladie en énergie vitale qui rend mon corps plus fort. »

Ensuite, agrippez vos jambes avec vos mains, juste en dessous des genoux, en plaçant le pouce derrière les genoux. Enfoncez

le bout des doigts dans les muscles qui longent les tibias, en dessous des genoux. La pression doit produire une douleur à la fois forte et agréable qui rayonne tout le long des tibias, jusqu'aux pieds. Ce point est situé sur le méridien de l'estomac et sa stimulation doit renforcer le système immunitaire.

C'est lui qui est largement responsable de votre vie sur cette planète car il vous protège des maladies et vous donne l'énergie de courir les cinq derniers kilomètres (pour libérer plus d'énergie et continuer à marcher, les soldats de l'armée de Mao Tsé-Tung stimulaient ce point avec leurs cigarettes, pendant la « Longue Marche »).

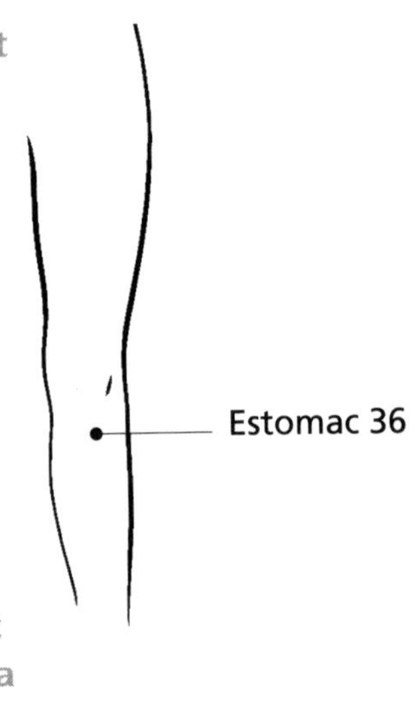

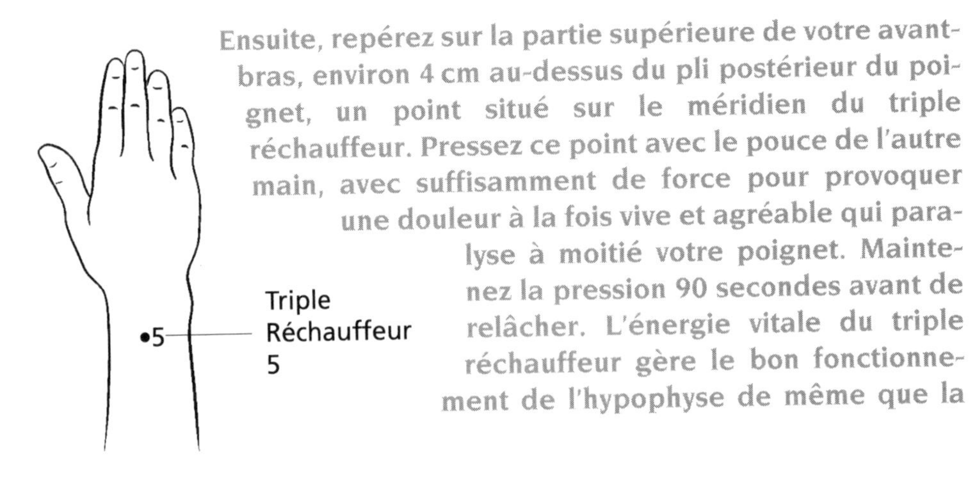

Ensuite, repérez sur la partie supérieure de votre avant-bras, environ 4 cm au-dessus du pli postérieur du poignet, un point situé sur le méridien du triple réchauffeur. Pressez ce point avec le pouce de l'autre main, avec suffisamment de force pour provoquer une douleur à la fois vive et agréable qui paralyse à moitié votre poignet. Maintenez la pression 90 secondes avant de relâcher. L'énergie vitale du triple réchauffeur gère le bon fonctionnement de l'hypophyse de même que la

culation et la bonne répartition des fluides dans l'organisme, en particulier le liquide cérébro-spinal qui, lorsqu'il est stimulé, extrait tous les détritus énergétiques de la couche externe de l'énergie vitale défensive. L'énergie du triple réchauffeur stimule l'hypophyse qui n'est autre que l'interrupteur central de tout le système glandulaire.
(Alors, c'est bon pour vous de continuer à stimuler le point des cinq kilomètres.)

Enfin, asseyez-vous, le dos relativement droit, le menton rentré pour étirer la nuque, la poitrine, les épaules et le ventre détendus, les mains sur les genoux, la langue collée au palais. Respirez régulièrement, profondément, silencieusement et calmement. Imaginez à présent que l'élixir de vie, tel un liquide couleur d'or, pénètre dans votre organisme par le sommet de votre tête, circule parmi les cellules de votre cerveau, descend vers la langue et la gorge, puis gagne votre poitrine et votre ventre pour baigner vos organes vitaux et vos organes génitaux, avant de s'écouler partout dans vos nerfs, vos os, votre chair, jusqu'au bout de vos cheveux, baignant chaque cellule vivante, faisant de vous un être nouveau, un être sain. Dites pour terminer :

> *« Je me sens neuf (ve), je me sens neuf (ve), je me sens sain(e), je me sens sain(e). »*

Croyez-y et vous le serez !

Libérez-vous de la peur de la mort

47

Imaginez la scène suivante : vous êtes un astronaute qui flotte pendant des semaines dans le bonheur, un bonheur si parfait que vous remarquez à peine que vous flottez jusqu'à ce qu'un jour, à force d'avoir grandi imperceptiblement minute après minute, vous vous mettez à vous heurter à des surfaces inconnues. Ces chocs vous donnent conscience de l'existence d'un « autre » en même temps qu'ils vous donnent conscience de vous-même. Quelques semaines plus tard, cet autre devient une force dont vous devez tenir compte et à laquelle vous devez vous adapter tant vous vous y heurtez. Puis un jour, sans prévenir, cet autre commence à se soulever, à se contracter et à faire pression sur vous. Vous avez l'impression que tout votre univers s'écroule, et vous vous sentez irrémédiablement et douloureusement poussé à travers un conduit extrêmement étroit. Et soudain, avant même que vous compreniez ce qui vous est arrivé, vous êtes exposé à la violence d'un milieu inconnu – l'air, et dans cet air, vous percevez des bruits, des odeurs, des lumières et ressentez le besoin irrépressible de respirer. Et quand l'air froid entre dans vos poumons, vous ne pouvez retenir un cri.

Vous subissez ensuite toutes sortes de défis, parfois inimaginables, réservés aux plus courageux et aux plus ingénieux, des défis que, contre toute attente, vous parvenez à relever. Les années passant, vous appréciez progressivement ce mode de vie, et au moment où cet attachement est à son comble, vous vous sentez inexorablement poussé vers un voile que vous n'aviez jamais remarqué mais qui pourtant n'a cessé d'être là. C'est un voile derrière lequel se cache un mystère, et avant même que vous compreniez ce qui vous arrive, vous êtes poussé derrière le voile et vous avez disparu. Comme au début, vous nagez dans le bonheur, sans vous heurter à des surfaces étrangères et donc, sans avoir conscience de l'existence d'un autre, sans avoir conscience de vous-même, sans même avoir conscience de flotter. (Peut-être)

C'est en tout cas ce qui est arrivé (autant que nous le sachions) à toutes les personnes qui ont vécu sur cette planète et qui sont mortes. Jusqu'à présent, aucune d'entre elles n'est revenue. Nous pouvons donc en déduire que le processus est inéluctable et il semble par conséquent logique de cesser d'y résister, de le craindre, de le nier, de nous en détourner de mille et une façons. En réalité, il faudrait même voir la mort comme une amie, peut-être même notre meilleure amie.

Cela implique que vous gardiez la mort à l'esprit partout où vous allez, et que quoi que vous fassiez, vous vous rappeliez qu'elle n'est jamais loin. Au lieu de lui résister et de la craindre, vous devez vous entraîner à capituler et à l'étreindre. Et plus vous serez ami avec elle, plus votre respect pour elle grandira, plus votre peur s'atténuera. Vous finirez par comprendre que tout au long du chemin, c'est la mort elle-même qui a été votre ange gardien, qui a guidé chacun de vos pas, et que c'est encore elle qui vous attirera derrière le voile pour que vous ne soyez plus séparés. Et c'est alors que vous ressentirez l'amour universel, car au bout du voyage, c'est tout ce qui reste. (Certains l'appellent le « Tao ».)

Alors si vous pouviez parler à la mort et lui dire du fond du cœur « *Salut la mort, je voudrais que nous soyons amis* », vous verriez que loin de vous rendre morbide ou triste, cette conversation vous emplirait d'une telle puissance, d'une telle invincibilité qu'avec le temps et avec un peu de pratique, vous n'aurez plus peur de la vie, plus peur de prendre des risques, plus peur de la mort.

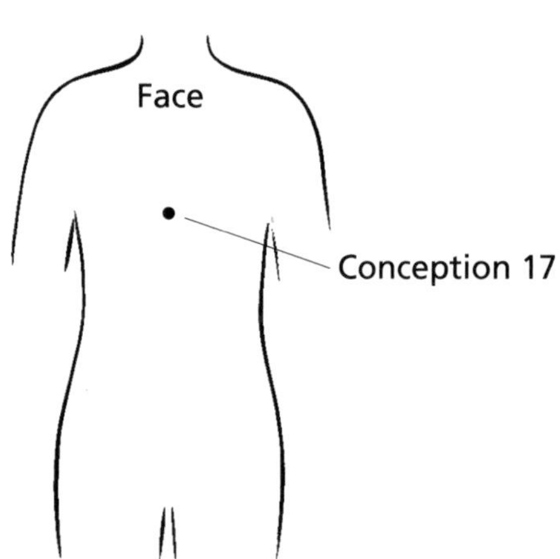

Mais une telle attitude demande du courage, le courage de surmonter votre peur. Cela implique que vous devez extraire la rigidité de votre cœur et relâcher la pression sur les reins. C'est un processus que vous pouvez mettre immédiatement en œuvre en enfonçant l'in-

dex au centre de votre sternum de façon à produire une douleur vive mais agréable qui se propage dans toute la poitrine. Maintenez la pression en respirant lentement, profondément et régulièrement pendant au moins 90 secondes. Savourez la douce sensation provoquée par le relâchement musculaire, puis dites doucement mais avec conviction :

> *« J'ai eu le courage de naître et de vivre jusqu'à maintenant. C'est ce même courage qui me prépare aujourd'hui à un voyage encore plus grand au cœur de l'inconnu. J'ai confiance en ce voyage, j'ai confiance en ce voyage. »*

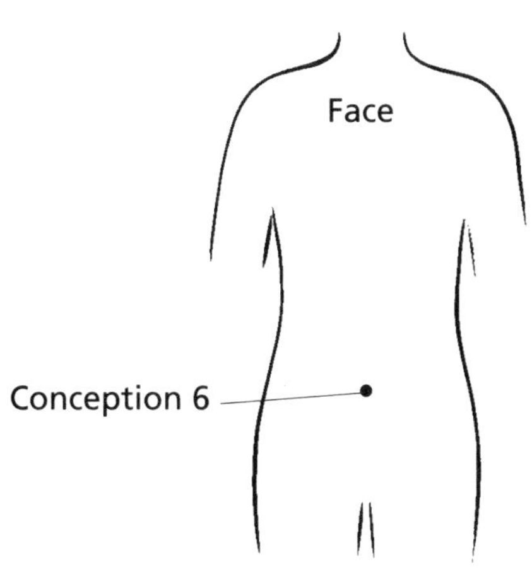

À présent, enfoncez le bout des doigts de votre main dominante dans votre ventre, environ 5 cm en dessous du nombril, et maintenez la pression jusqu'à ressentir une douleur à la fois forte et agréable qui rayonne dans toute la partie inférieure de l'abdomen jusque dans les reins. Essayez de sentir le relâchement dans votre ventre et dans vos reins et, tout en respirant lentement, régulièrement et profondément (sans relâcher la pression), dites encore et encore :

« Cela me va d'avoir peur tant que je trouve ça agréable. »

Et vous remarquerez (si vous êtes très sensible) que petit à petit, vous cesserez d'avoir peur.

Et vous vous sentirez léger… aussi léger que l'air.

Libérez-vous du stress

48

Le stress, cette pression excessive imposée à l'organisme qui entraîne une contraction permanente des muscles, une mauvaise circulation du sang, des sécrétions et de l'énergie, qui brouille notre cerveau et réduit notre efficacité dans tout ce que nous entreprenons, n'est pas une maladie mais simplement une habitude. Mais c'est une habitude qui aura rapidement raison de vous si vous ne vous y attaquez pas et si vous ne vous décontractez pas (au moins un peu) tout de suite.

« Commencez par les fesses et par l'anus qu'elles cachent,
détendez tous les muscles, suivez-les à la trace.
Savourez les délices de ce ramollissement,
goûtez-les tout du long, du grenier au fondement.

Et comme cette sensation en vous se déploie,
depuis le sommet jusque tout en bas,

rappelez-vous que détente signifie vie et joie,
la raideur, à coup sûr, ne mène qu'au trépas.

Pour prendre conscience que vous êtes contracté,
contractez-vous plus encore, de la tête aux pieds,
jusqu'à trembler si fort au point que cela se voie
puis détendez-vous subitement, lâchez tout en une fois.

Plus tard, rassurez-vous, plus besoin de tout ça,
car vous pourrez vous détendre sur un claquement de doigts.

Vous l'aurez compris, la relaxation est l'antidote du stress, et pour se détendre, il vous suffit de faire ce que dit la chansonnette ci-dessus. Vous pouvez vous détendre en une fois ou morceau par morceau, en commençant par contracter puis détendre votre pied droit, puis le pied gauche, votre jambe droite, puis la gauche, etc., jusqu'à relâcher chaque organe, chaque membre, chaque muscle, des pieds à la tête, puis de la tête aux pieds. Après vous être contracté en retenant momentanément votre respiration, veillez à vider complètement vos poumons et à vous laisser aller totalement, sinon vous risquez d'aller à l'encontre du but recherché.

Avec un peu de pratique, vous n'aurez plus besoin de vous contracter au préalable pour vous détendre. Vous serez tout simplement capable de relâcher vos muscles et aussi votre esprit, à volonté et très rapidement. Pour y parvenir, il est essentiel qu'une contraction inconsciente devienne consciente. Et dès que vous serez conscient que vous êtes contracté, un choix se présentera à vous : continuer de vous contracter ou vous détendre. Si a priori, cela ne vous dérange pas de vous sentir contracté, vous verrez qu'avec le temps, vous trouverez plus agréable d'être détendu (et ce sera aussi plus agréable pour ceux qui vous entourent !) Alors allez-y, battez le fer tant qu'il est chaud et dites sans hésitation :

« *Je choisis maintenant de me détendre.* »

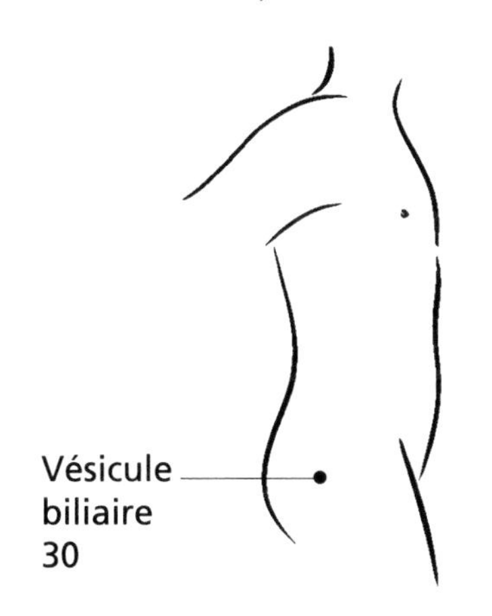

Repérez l'articulation mobile en haut de la cuisse, sur le côté, et enfoncez le pouce juste derrière, là où la chair est épaisse. Maintenez la pression jusqu'à ressentir une douleur qui rayonne jusqu'au périnée et en particulier au sphincter anal, lequel entraîne une tension de tout le corps lorsqu'il est lui-même tendu.

Relâchez lentement la pression, puis posez les mains sur les hanches et enfoncez fermement les pouces là où ils se placent, c'est-à-dire le long de l'arête des muscles de part et d'autre de la colonne vertébrale jusqu'à ressentir une douleur qui irradie dans tout le bas du dos et même dans le ventre.

Détendez-vous lentement, puis avec le bout des doigts, saisissez les côtes situées dans le bas de la cage thoracique et écartez délicatement cette dernière jusqu'à ce que vous la sentiez s'élargir d'environ 2,5 cm. Respirez le plus profondément et le plus calmement possible. Maintenez l'écartement pendant environ six cycles respiratoires.

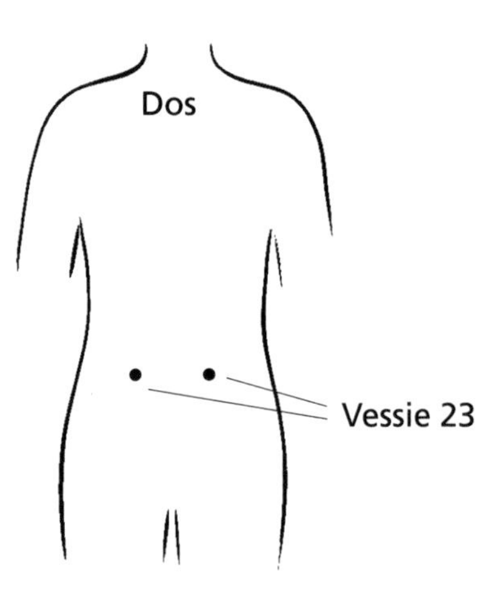

À présent, refermez les poings sans les serrer et donnez des coups réguliers sur votre sternum. Déplacez les poings sur les muscles pectoraux et percutez toute la poitrine. Au bout d'une minute, ralentissez progressivement le tempo jusqu'à l'arrêt complet.

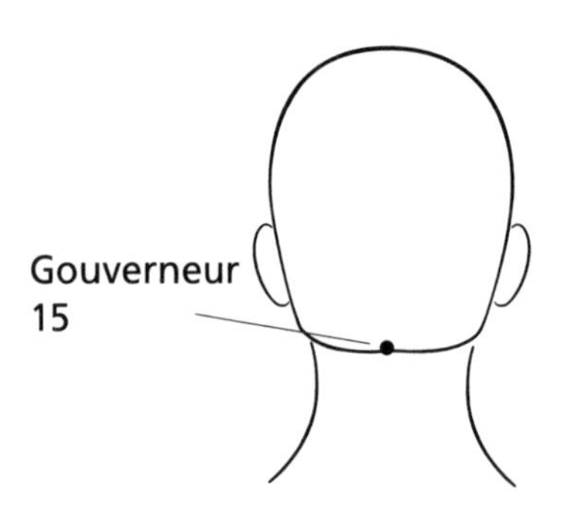

Enfin, enfoncez votre pouce dominant à la base de votre crâne, au centre, juste en dessous de l'os occipital (os formant la partie inférieure et postérieure du crâne), là où il rejoint la colonne dans cette dépression délicate qui apparaît plus clairement lorsqu'on penche la tête en arrière mais que l'on peut

plus facilement stimuler quand la tête est penchée en avant. Maintenez la pression jusqu'à produire une douleur qui se diffuse dans tout le crâne, soit pendant environ 70 secondes, puis relâchez lentement.

Joignez les mains devant le visage. Écartez-les lentement puis ramenez-les l'une contre l'autre, toujours lentement. Inspirez chaque fois que vous les écartez et pensez : « ***Mon espace se développe*** **». Expirez lorsque vous rapprochez les mains et pensez : «** ***Stress, disparais !*** **» Répétez ce cycle 18 fois en savourant l'énergie vitale couler entre vos mains, un peu comme si vous brassiez de l'eau ou de l'air pur. Pour finir, ramenez les mains devant le visage pour « fermer le circuit » et attendez que l'énergie commence à s'écouler le long des bras jusque dans votre poitrine et votre ventre d'où elle pourra rayonner dans tout votre corps.** »

À présent, ruez-vous sur votre téléphone et composez le numéro d'un masseur compétent, car il n'existe rien de mieux pour soulager et prévenir le stress qu'un bon massage réalisé par un professionnel (et il y en a beaucoup). Si j'étais le maître du monde, j'offrirais à tous les habitants de cette planète une séance de massage gratuite par semaine.

Libérez-vous de l'impatience

49

Allons, dépêchez-vous, nous n'avons pas toute la vie !

Laissez-moi vous dire, sans préambule, que l'impatience, fléau de la société postmoderne, survient non pas parce que les gens traînent au milieu des trottoirs et vous empêchent de passer, ni parce que le conducteur devant vous s'arrête systématiquement à l'orange, ni parce que votre rêve met si longtemps à se réaliser, mais parce que l'énergie vitale de votre vésicule biliaire surchauffe, puis que la chaleur monte le long du méridien de la vésicule jusqu'à vos épaules et à la base de votre crâne, surchauffant l'énergie de votre cerveau et troublant votre paix intérieure (laquelle ne peut exister que si l'on a la tête froide, tant sur un plan énergétique qu'au sens figuré). Et en effet, vous remarquerez, si vous faites attention, que lorsque l'impatience s'empare de vous, un léger malaise s'installe dans la partie supérieure de votre abdomen, juste à droite de votre axe central, dans les côtes.

Vous angoissez parce que vous allez être en retard et que tout votre programme va s'en trouver bouleversé. Du coup, vos reins se contractent et envoient leur chaleur dans le foie, lequel surchauffe à son tour et vous rend irritable. Cette chaleur s'engouffre ensuite dans le méridien de la vésicule biliaire comme dans un trop-plein, puis la chaleur monte comme un vent chaud jusque dans le cerveau.

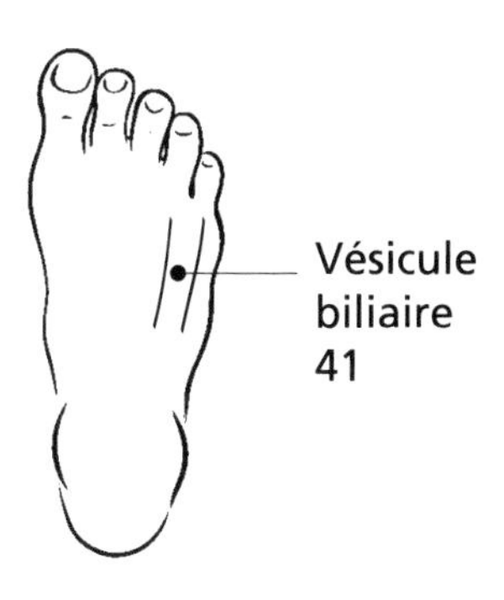

L'énergie vitale de la vésicule biliaire est responsable de la logistique lorsque vous interagissez avec le monde autour de vous. Si cette énergie surchauffe, elle effectue son travail de contrôle avec un peu trop de zèle, ce qui a pour conséquence de vous rendre extrêmement tatillon sur le respect de votre programme et donc extrêmement impatient. Commencez par prendre un remède de fleurs de Bach à base d'impatiens. Tracez ensuite une ligne imaginaire entre le petit doigt de pied et le suivant, jusqu'à l'endroit où les os de ces deux orteils rencontrent le gros os du pied. À cet endroit, dans la dépression, enfoncez le pouce avec suffisamment de fermeté pour produire une douleur à la fois forte et agréable qui se propage dans le pied. Décrivez 24 petits cercles avec le pouce, dans le sens inverse des aiguilles d'une montre, puis refaites l'exercice sur l'autre pied. Ce point est situé sur le méridien de la vésicule biliaire et lorsqu'il est ainsi stimulé, surtout dans le sens inverse des aiguilles d'une montre (dans le sens des aiguilles, cela renforce, dans le sens inverse, cela calme), il a pour effet d'apaiser la chaleur et de calmer votre impatience.

À présent, pour dissiper ou prévenir l'accumulation de chaleur dans le méridien, percutez l'os occipital à l'arrière du crâne de même que la partie juste en dessous avec les articulations des doigts, en faisant particulièrement attention aux deux muscles qui longent la colonne. Cet exercice est un excellent antidote contre l'ébriété, la gueule de bois ou les maux de tête, mais il vous permettra également de ne pas être soudainement submergé par le besoin pressant de bousculer ceux qui auraient la malencontreuse idée de se trouver sur votre chemin, de percuter leur voiture ou de braquer une banque pour réaliser votre rêve. Évitez toutefois de faire cet exercice en public car cela pourrait déclencher des rires moqueurs ou défaire votre coiffure. Mais si vous le faites tous les matins, en association avec le massage du pied, c'est la patience qui, petit à petit, prévaudra.

Maintenant, redressez-vous et respirez calmement et régulièrement en relâchant tout le corps. Laissez pendre les mains sur le côté, collez la langue au palais, rentrez le menton et étirez délicatement la nuque, joignez les pieds, fléchissez légèrement les genoux et sautez (avec légèreté) sur la pointe des pieds, pas plus de 81 fois d'affilée. Lorsque vous vous arrêtez, évitez de haleter et de souffler. Restez concentré sans bouger pour laisser l'énergie vitale se loger dans votre ventre. Refaites cet exercice six fois et dites :

> *« Je suis empreint(e) de patience infinie, de patience infinie je suis empreint(e). »*

Plus vous montrerez de patience et attendrez que vos rêves se réalisent, sans essayer d'accélérer la cadence, c'est-à-dire en étant activement patient, plus vite ils prendront forme. Libre à vous d'y croire ou non, mais sachez que ce à quoi l'on croit finit par se réaliser. Dites simplement :

> *« Plus j'aurai la patience d'attendre que mes rêves se réalisent, sans essayer d'accélérer la cadence, c'est-à-dire en étant activement patient, plus vite ils prendront forme. »*

Quoi qu'il en soit, poursuivons. Le livre est presque terminé, alors ne perdons pas de temps…

Libérez-vous de vos enfants

50

(ce chapitre concerne les parents, les responsables de la protection de l'enfance et les parents potentiels, donc vous)

À l'heure qu'il est, j'ai, quelque part sur la planète, au-delà de ces collines galloises perdues dans le brouillard, trois fils : Joe, Jake et Spike. À ce stade de l'écriture de mon livre, ils ont respectivement 23, 20 et 14 ans. Ils sont beaux, intelligents, et sont tous les trois parvenus à trouver un équilibre qui me paraît être de bon augure pour leur avenir.

Par un matin de l'été 1982, quand Joe et Jake étaient alors âgés de 3 ans et 1 an, et que Spike était encore probablement un vieux producteur de cinéma hollywoodien, ou un lama tibétain, ou un chef de gang à Chicago, j'errais sur les hauts plateaux du Nouveau-Mexique, comme on peut parfois errer, dans un état de mélancolie totale. Cela faisait presque quatre ans que je me trouvais là, m'entraînant aux divers arts guérisseurs, et je n'allais pas tarder à rentrer à Londres pour entamer ma mission d'aide aux autres. Ma femme avait décidé de rester sur place après s'être toquée de mon professeur de « combat taï chi », un art martial consistant à donner des coups de pieds et de poings à l'opposant avec une précision et une adresse déroutantes. La méthode de ce professeur se résumait ainsi : il me montrait les mouvements lentement, une seule fois, puis il me lançait des coups à toute vitesse jusqu'à ce que j'aie enregistré les mouvements et que je sois capable de l'arrêter. Si l'on arrivait à éviter commotions et fractures, c'était une méthode d'enseignement très efficace. Au bout de six mois d'entraînement, lorsque je ramenai mon professeur à la maison pour dîner et que ma femme tomba sous le charme de sa fine moustache et de son regard perçant, je dus me livrer à un entraînement autrement plus délicat que le combat taï chi : celui qui allait m'aider à me libérer de la douleur liée à la jalousie !

Mon professeur avait un avantage incontestable sur moi en matière de combat aussi fus-je persuadé qu'il était inutile de l'enjoindre de laisser ma femme tranquille. En tout cas, nos cinq années de mariage avaient dès lors dégénéré en une guerre nucléaire ininterrompue, et les dommages causés étaient, en ce qui me concernait, irréparables.

Tout ça, je pouvais le supporter. Ce que je ne supportais pas, c'était l'idée de quitter Joe et Jake, mes enfants, mes amis de toujours. Nous avions fait du vélo ensemble, ils s'étaient maintes fois endormis dans mes bras alors que j'arpentais le jardin en récitant les différents points d'acupuncture. J'avais été présent à leur naissance. J'avais même mis Jake au monde. J'aimais ces deux êtres plus que tout au monde. Jamais je n'avais imaginé qu'un tel amour pût exister. Et maintenant, j'allais devoir les laisser. Pourquoi est-ce que je n'envisageais pas de rester sur les hauts plateaux du Nouveau-Mexique ? Quoi, rester toute ma vie une sorte de hippy new-age, à l'abri des hauts et des bas de toute vie digne de ce nom et louper toute la fête ! Non merci. Non, je devais vraiment me brancher à un média d'influence (rappelez-vous ces temps préhistoriques où l'Internet n'existait pas) et il n'y avait pas de meilleur endroit pour ça que cette sacrée ville crasseuse de Londres (où au moins on vous sert une vraie tasse de thé, pas comme ici aux États-Unis).

À la clinique, plus tard dans la matinée, entre deux patients, mon professeur posa sur moi un regard interrogateur et me demanda : « Qu'est-ce qui ne va pas, mon jeune ami ? » Cela me surprit d'autant plus qu'il posait rarement des questions, peut-être à cause de sa culture où la notion d'individu est très différente de celle de notre civilisation qui favorise le gonflement de l'ego.

Devant mon embarras et après avoir manifesté une compassion à laquelle je ne m'attendais pas, il ferma la clinique, à la manière d'un adepte du Tao qui aurait simplement posé sur la porte l'écriteau « Parti à la pêche » et m'emmena dans un bar où nous passâmes le restant de la journée à boire des tequilas et à parler de la sagesse du détachement.

Mes enfants ne sont pas mes enfants. Ce sont les enfants du Tao. Je suis chargé de m'occuper d'eux tant que le sort en décide ainsi, mais si le sort décide que nous devons nous séparer, je dois accepter la séparation. De plus, si je dois me regarder et les regarder avec compassion, je ne dois pas montrer de sentimentalisme excessif au moment de la séparation. Et bien que cela soit douloureux, je dois me persuader que c'est bien ainsi et me dire que le Tao veillera sur eux.

Grâce à mon professeur, je compris que ce n'était donc pas la fin du monde mais je rentrai tout de même chez moi le moral à plat et l'esprit complètement embrouillé. Mon thérapeute me suggéra de dire à M. « Fine moustache » de décamper et, assez incroyablement, c'est ce que je fis. Étonnamment, il céda. Ma femme et moi allâmes voir un conseiller matrimonial, rentrâmes ensemble à Londres et restâmes ensemble 18 mois de plus (18 mois d'enfer), période au terme de laquelle je pus voir Joe et Jake un week-end sur deux (entre 10 heures le samedi et 17 heures le dimanche, le juge, un salaud sans cœur, ayant déclaré cet arrangement « parfait »). Je respectais scrupuleusement ces dispositions jusqu'à ce que mes enfants soient assez grands pour que je puisse leur offrir plus.

Mais je m'égare... Ce que je veux dire, c'est qu'à moins d'user de stratagèmes tordus mais efficaces, inexorablement arrive un jour où vos enfants vous quittent. Et si vous êtes parvenu à établir avec eux un lien profond, si vous avez été honnête et respectueux avec eux dès le début, si vous avez été gentil et protecteur sans être autoritaire, si vous avez été encourageant mais ne les avez pas trop gâtés, si vous avez accepté leurs défauts et leurs faiblesses sans montrer toutefois une indulgence excessive, si vous les avez guidés sans jamais les forcer, si vous avez été, en un mot, des parents aimants, sages et éclairés, ce lien qui vous unit va se renforcer quoi qu'il arrive et quel que soit l'endroit de la planète où sont vos enfants.

Évidemment, vous ferez des erreurs, comme dans toute relation d'amitié. J'ai moi-même été un parfait crétin l'autre jour avec Jake, mais je me suis confondu en excuses depuis lors… Ce sont des choses qui arrivent. Ces accidents, ces erreurs de parcours ne veulent pas dire que votre relation va se dégrader et disparaître, bien au contraire. Et si votre relation s'est dégradée au point que vos enfants ne vous supportent plus, lisez le chapitre sur la culpabilité, pardonnez-vous, essayez de réparer vos torts du mieux que vous pouvez et entamez un nouveau cycle de communication dès que vous vous sentirez d'attaque.

Quoi qu'il en soit, vos enfants vous quitteront un jour ou l'autre et cela vous fera mal, mais une fois que vous aurez surmonté la douleur, une fois que vous aurez compris que la vie (le Tao) les porte dans ses bras depuis le début, qu'ils ne sont pas vous ni un prolongement de vous mais des personnes à part entière, une formidable liberté irradiera tout votre corps et vous ne pourrez vous empêcher de crier : « Je suis libre ! »

Vous ne cesserez pas de les aimer. Vous les aimerez au contraire un peu plus à chacune de vos respirations. Simplement, vous serez libéré de l'illusion que vous êtes responsable de chacun de leurs mouvements. « Ils » sont maintenant.

Évidemment, je ne vais pas vous dire quels points presser ou quels sons émettre pour vous libérer de vos enfants. Ce serait idiot. Bien sûr, il existe une solution très efficace qui consiste à hurler : « Fiche-moi le camp et ne reviens jamais ! » Mais je suis sûr que ce n'est pas ce que vous souhaitez.

La confusion des identités, c'est-à-dire le fait de croire que vos enfants sont un prolongement de vous-même, surgit en cas de faiblesse de l'énergie vitale cardiaque (l'énergie du cœur donnant à chacun de nous une totale conscience de soi et donc des autres).

La surprotection, quant à elle, c'est-à-dire cette tendance à vouloir être maître du destin de ses enfants en permanence, survient quand l'énergie vitale de la vésicule biliaire surchauffe. Elle est elle-même due à une surchauffe de l'énergie du foie provenant d'une contraction excessive des reins, laquelle contraction se produit quand vous avez peur.

Cette incapacité à vous relâcher survient lorsque l'énergie vitale du gros intestin est faible ou bloquée.

Percutez dès maintenant l'arrière de votre crâne avec les articulations de vos doigts, en particulier de part et d'autre de la colonne, juste en dessous de l'os occipital, de façon à disperser l'énergie surchauffée de la vésicule biliaire qui a tendance à stagner à cet endroit.

Dans le même temps, expirez en produisant le son guérisseur de l'énergie du foie (« *Shhhhhhhhhhh* ») tout en imaginant que votre foie se refroidit.

Enfoncez ensuite les pouces dans les muscles qui longent la colonne, juste au-dessus de la taille, de manière à réduire la contraction dans la région des reins et à aider votre foie à se renforcer.

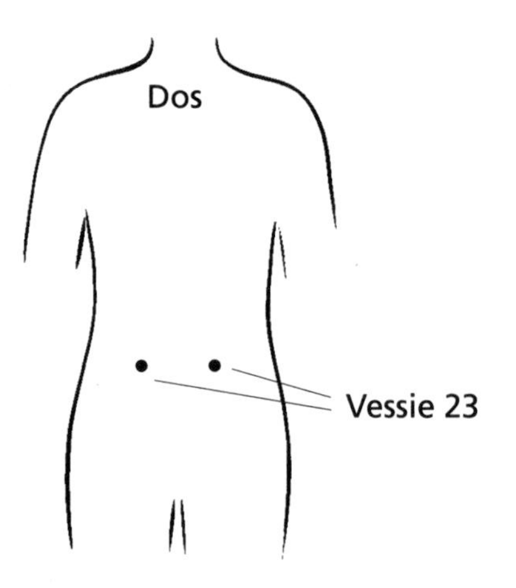

Enfin, vous pouvez aussi masser votre ventre avec la paume des mains, en décrivant 81 cercles dans le sens des aiguilles d'une montre, pour renforcer et détendre le gros intestin, tout en disant :

> *« Je ne suis pas dans les pensées ni dans les sentiments de mes enfants, ni même dans mes propres pensées et sentiments. Je suis simplement un enfant du monde qui fait de son mieux Quelqu'un veille sur chacun d'entre nous à partir du moment où nous réalisons qui nous sommes. »*

Et chaque fois que vous vous ferez du souci pour vos enfants, prenez conscience du fait que vous projetez des pensées négatives et néfastes (énergie destructrice) dans leur direction.

Imaginez-les plutôt entourés d'une aura protectrice impénétrable. Et je peux vous assurer que ça marche, et que ça marche aussi sur d'autres êtres que vos enfants. En fait, c'est un bon exercice qui permet de passer un moment à imaginer que chaque être vivant sur cette planète est l'un de nos enfants, ce qui nous aide à aimer les autres davantage. (Allons, n'ayez pas peur. Essayez !)

Libérez-vous de vos parents

51

Ce n'est que vers 20 ans, alors que j'étais dans le cabinet de consultation de mon thérapeute Ronnie Laing, que j'ai compris qu'il y avait une différence entre les pensées de mes parents et les miennes. Bien sûr, je savais que mes pensées et les leurs étaient distinctes, mais je ne l'avais jamais vraiment reconnu. En fait, pour moi, mes parents avaient toujours raison. Or ils ont souvent eu raison, mais pas toujours.

Je peux le dire facilement aujourd'hui. Mais quand je me trouvais en face de Ronnie, je pouvais à peine le dire. J'avais l'impression de commettre un véritable sacrilège. Mon père a pu avoir tort ? Je peux avoir mes propres opinions sur la vie ? Il n'y a pas d'autorité à part moi ? C'est moi qui commande ici ?

Et bien sûr, ça ne s'est pas arrêté là. Je suis d'ailleurs toujours en train de « filtrer », c'est-à-dire de faire le tri entre ce qui appartient à mon père et ce qui m'appartient. Avec le recul, tous les enseignements que j'ai reçus de ma mère me paraissent justes – et je les ai donc repris à mon compte – et par conséquent, le travail de filtrage a été plus facile avec elle.

En même temps que vous vous rendez compte que vos parents sont faillibles, vous vous apercevez qu'ils sont humains, qu'eux aussi ont été des bébés, et qu'ils n'en savent pas plus que vous sur la vie au sens large. Et c'est difficile… Difficile de se dire que nos parents que nous considérions jusque-là comme parfaits sont en fait aussi vulnérables que nous. C'est une réalité difficile à admettre, à moins que vos parents ne fassent partie de cette maigre catégorie de personnes qui se montrent tout de suite telles qu'elles sont à leurs enfants. Malheureusement, beaucoup de parents font semblant. Ils endossent, devant leurs enfants, le rôle de parents, au lieu de s'acquitter de leurs devoirs parentaux en restant eux-mêmes. Et ils se perdent dans leur rôle. Vous, par ricochet, prenez le rôle de l'enfant et vous vous perdez dans ce rôle, au lieu de vous acquitter de vos devoirs filiaux tout en restant vous-même avec vos amis et tous ceux qui vous traitent pour ce que vous êtes et non comme un petit enfant.

Mais il arrive un moment, en général quand on commence à travailler et qu'on ne dépend donc plus de ses parents pour sa survie, où commence le processus de différenciation, un processus qui continue tout le long de la vie jusqu'à la mort, et peut-être au-delà. Un moment où vous dites : « Attendez une minute. Je ne suis pas les pensées de ma mère, ni ses croyances, ni ses sentiments. Je ne suis pas les pensées de mon père, ni ses croyances, ni ses sentiments. Je ne suis même pas mes propres pensées, ni mes croyances, ni mes sentiments ! Je suis, tout simplement. Et tel (le) que je suis, je suis libre de penser, de croire et de ressentir ce que je veux ! »

Vous devez en outre arrêter de chercher à obtenir leur assentiment. Bien sûr, nous sommes tous, consciemment ou inconsciemment, au moins partiellement poussés par le désir d'obtenir l'approbation de nos parents. Et cela commence dès la plus tendre enfance, quand nous apprenons à accomplir les tâches de base comme manger, digérer et éliminer, inculquées par nos parents. Cette volonté de les satisfaire est donc inscrite dans nos gènes car elle assure notre survie. Mais il arrive un moment où notre survie dépend de notre capacité à avoir nos propres pensées et où il faut essayer d'obtenir notre propre approbation.

La première étape consiste à faire la différence entre eux et vous. Cette tâche peut être rendue plus aisée en stimulant l'énergie vitale du cœur dont dépend la reconnaissance de soi. Toutes les crises d'identité indiquent une faiblesse ou une mauvaise définition de l'énergie vitale cardiaque. Inversement, quand l'énergie du cœur est faible ou mal définie, on est plus sujet aux crises d'identité, problème qui se traduit souvent par une difficulté à savoir ce que l'on pense, ce que l'on ressent ou ce que l'on croit.

Si j'étais le maître du monde, j'obligerais tout le monde à suivre deux ans de thérapie en fin de scolarité, un peu comme le service militaire autrefois. Cela, afin d'aider chacun à passer à l'âge adulte, période difficile au cours de laquelle il faut obligatoirement redéfinir les liens avec ses parents, et apprendre à devenir son propre parent, c'est-à-dire une personne à part entière.

Néanmoins, si l'idée d'une thérapie vous est insupportable ou vous paraît irréalisable en raison du coût ou du temps que cela demande, vous pouvez déjà vous soulager en percutant vivement (sans toutefois vous casser une côte !) le centre de votre sternum avec les poings (du côté des petits doigts) tout en prononçant le son apaisant de l'énergie vitale du cœur : « Haaaaaaaaaaaah » pendant neuf cycles respiratoires. Cet exercice aura pour effet de réveiller l'énergie vitale de votre cœur et de dégager toute énergie stagnante peut-être à l'origine de vos problèmes d'identité.

À présent, tracez une ligne imaginaire depuis le bout du petit doigt de votre main droite jusqu'au pli de flexion du poignet. Là se trouve un point aussi connu sous le nom de « porte de l'âme ». Enfoncez fermement le pouce de la main gauche à cet endroit jusqu'à produire une douleur à la fois forte et agréable rayonnant le long de la ligne que vous venez de tracer. Maintenez la pression au maximum 40 secondes sur chaque poignet. Ce point est situé sur le méridien du cœur et sa stimulation doit aider le cœur à tirer davantage d'énergie de sa source élémentaire,

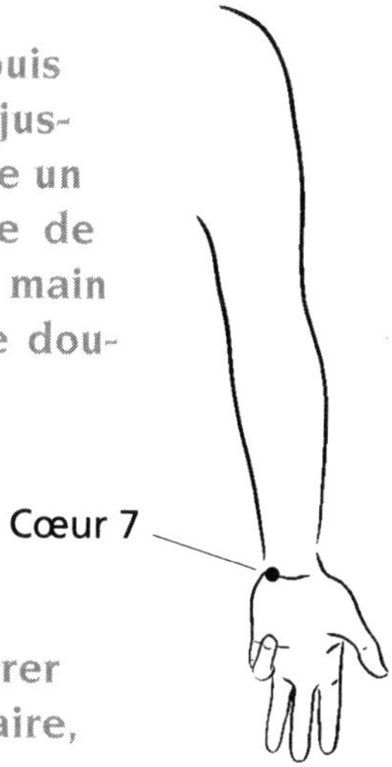

Cœur 7

le feu. L'attisement de ce feu doit à son tour permettre de calmer votre esprit pour que vous vous sentiez, pendant un moment, en parfaite harmonie avec vous-même. Relâchez lentement tout en proclamant :

> *« Je suis un être à part entière. Je conserve automatiquement toutes mes convictions valables et élimine les autres. Je suis mon propre parent, sage et aimant, et j'ai toute mon approbation. En fait, je suis magnifique ! »*

(Vous pourrez toujours lire la suite.)

Libérez-vous du temps

52

Nous n'avons pas le temps de parler de cela maintenant parce que nous manquons tout simplement de temps ! C'est là que se situe la clé pour se libérer des problèmes de temps.

Et pourtant, du fin fond de ce pays de Galles que je quitterai sans tristesse dans quelques heures et qui pourtant me manquera profondément, je vais tenter l'impossible : expliquer le temps (d'un point de vue métaphysique).

Premièrement, plutôt que de « temps », il vaudrait mieux parler de « mouvement dans l'espace » sur la surface de la Terre, qui elle-même tourne autour du soleil. En raison de ce mouvement et de la position de notre planète par rapport au soleil, les saisons sur Terre changent selon un schéma prévisible et la nature réagit soit en s'épanouissant soit en se mettant en veille. Par ailleurs, du fait que notre planète tourne sur son axe, nous sommes soit plongés dans le noir, soit exposés à la lumière éclatante du soleil (si les nuages ne sont pas de la partie).

Par conséquent, les années, les saisons, les jours et les nuits, les mois et les semaines ne sont que des outils de mesure censés nous aider à nous organiser au quotidien. Et au cours de ce déplacement dans l'espace (déplacement circulaire par opposition au déplacement linéaire), notre corps est livré à l'entropie, comme l'est toute masse en mouvement, mais nous ne nous sentons pas différents (ou plutôt plus vieux) pour autant.

Nous essayons de vivre en fonction du modèle de temps linéaire que nous avons inventé, alors que si l'on observe le déroulement des événements qui constituent l'histoire de notre vie en fixant notre esprit sur notre ventre, en détendant la poitrine et en vidant complètement notre cerveau, nous nous rendons vite compte que nous sommes en fait en phase avec le mouvement circulaire de la planète, comme si nous étions au centre d'une grande roue dont la jante serait formée des moments de notre vie.

Comme je l'ai dit plus haut, le temps est un sujet difficile et les conseils que je donne ne constituent pas des solutions mais des recommandations de méditation.

Néanmoins, pour vous aider à vous concentrer sur le moment présent et donc à vous libérer du temps, il faut aller voir du côté de l'énergie vitale de votre cœur. Tracez une ligne imaginaire depuis le bout du petit doigt de votre main droite jusqu'au pli de flexion du poignet. Enfoncez fermement le pouce de la main gauche à cet endroit jusqu'à produire une douleur à la fois vive et agréable rayonnant le long de la ligne que vous venez de tracer. Maintenez la pression au maximum 90 secondes sur chaque poignet. Ce point est situé sur le méridien du cœur et sa stimulation doit aider le cœur à tirer davantage d'énergie de sa source élémentaire, le feu. Par conséquent, l'esprit qui est gouverné par l'énergie du cœur sera moins dérangé par les distractions matérielles de ce monde et aura davantage tendance à se nourrir de l'intérieur, vous permettant de voir les choses dans leur circularité plutôt que dans leur linéarité. En d'autres termes, la stimulation de ce point doit vous permettre de considérer le temps sous un autre jour. Cet exercice peut aussi tout simplement provoquer un sentiment de détente qui, à son tour, peut vous amener à ignorer le temps (et hop, vous êtes libéré !)

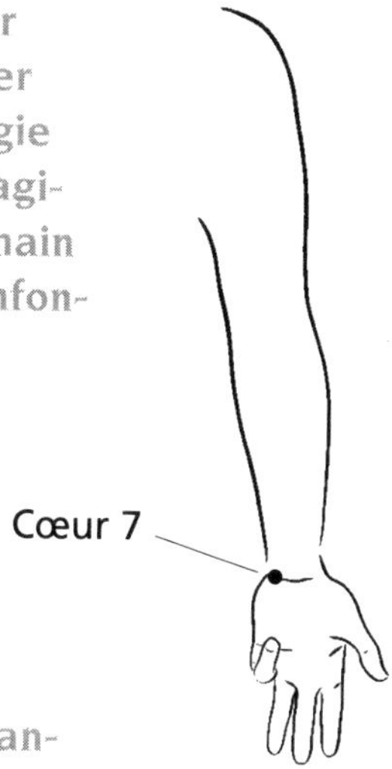

Cœur 7

Quoi qu'il en soit, nous avons construit cette illusion appelée « temps », nous lui avons insufflé la vie génération après génération.

Et pour cela, elle mérite qu'on la respecte, tout comme nous respectons le mythe du père Noël.

Mais je ne peux pas passer ma journée à parler de ça. Premièrement, je ne ferais que vous embrouiller davantage en essayant de vous en dire plus, et deuxièmement, je n'ai tout simplement pas le temps. Le livre est presque terminé et à ce rythme, si je ne passe pas au chapitre suivant, je risque de rester coincé à ce niveau et de ne jamais m'échapper, en d'autres termes, j'aurais l'impression de vivre hors du temps, et ce n'est pas envisageable. J'ai en effet encore bien du remue-ménage à faire en ce bas monde !

Libérez-vous de la souffrance

53

La souffrance est un choix que vous faites.

Non, je ne suis pas sans cœur. Écoutez-moi.

Personnellement, je pourrais très bien choisir de rester prostré dans le froid, sans signal sur mon portable, tassé sous le ciel bas et gris du pays de Galles, le regard perdu dans un brouillard si épais qu'on dirait de la glace… Je pourrais choisir de souffrir, en d'autres termes. Mais j'ai choisi de ne pas souffrir, d'attiser le poêle et d'être fier d'avoir résisté à la tentation de retourner à la ville, ou mieux encore, de m'envoler vers une plage ensoleillée (oh oui !)

Je peux, moi comme vous, m'abandonner à la douleur ou à la joie. Et en effet, la vie est faite de moments dramatiques et de moments heureux. Focalisez votre attention sur la douleur, et la douleur grandira au point de prendre toute la place, et vous souffrirez à coup sûr.

Focalisez votre attention sur le bonheur et le bonheur grandira au point de prendre toute la place, et vous serez libéré de la douleur. Et cela est vrai quelles que soient les circonstances.

La souffrance au sens abstrait se transmet – généralement inconsciemment – de génération en génération et est adoptée – généralement aveuglément – comme une réponse habituelle (à la vie). Adoptée – généralement inconsciemment – comme une obligation, comme si la perpétuer allait d'une façon ou d'une autre alléger la souffrance de ceux qui l'ont vécue auparavant. Mais sachez que si vos ancêtres (et en particulier vos parents) ont beaucoup souffert dans leur vie, votre souffrance n'enlèvera rien à la leur. Au contraire, la souffrance ne fait que s'ajouter à la souffrance, alors que le bonheur fait naître le bonheur.

Le temps est venu, vous en conviendrez, de retirer la souffrance de notre programme. Et peut-être qu'en faisant cela, nous donnerons à d'autres l'envie de faire pareil et alors, peut-être, apprendrons-nous enfin à nous respecter les uns les autres.

Il vous appartient donc, à vous personnellement, d'entamer immédiatement le processus de libération de la souffrance, de façon à pouvoir rapidement inciter votre entourage à faire de même, jusqu'à ce que petit à petit, un nouveau modèle de non-souffrance apparaisse dans le monde des hommes, et je pourrai alors m'allonger sur une plage de sable chaud et m'endormir paisiblement avec le sentiment du devoir accompli !

L'énergie vitale qui vous protège de la souffrance est celle du « protecteur du cœur ». En gros, quand l'énergie du protecteur du cœur est faible, vous souffrez, même si vous êtes dans la suite avec terrasse d'un hôtel cinq-étoiles en train d'assister au coucher de soleil, sans l'ombre d'un souci à l'horizon. En revanche, si l'énergie du protecteur du cœur est forte, vous ne souffrirez pas, vous serez heureux, même quand vous aurez froid et serez fatigué, même si vous portez des chaussures marron avec un pantalon bleu marine, même si vous avez plein de problèmes, même si vous n'avez nulle part où dormir ce soir, même si vous êtes sans le sou, même si la nuit tombe et qu'il commence à pleuvoir. Tout cela vous fera sourire et vous ferez abstraction de ces désagréments. Pour supporter tout cela, il faut avoir une énergie vitale en super forme, je vous l'accorde. Mon exemple est un peu extrême, mais je pense que vous avez compris ce que je voulais dire.

Repérez le point entre les deux tendons à l'intérieur de l'avant-bras, environ 5 cm au-dessus du pli de flexion du poignet. Enfoncez fermement le pouce à cet endroit jusqu'à ressentir une douleur vive et agréable qui rayonne jusque dans la paume. Maintenez la pression pendant 70 secondes maximum sur chaque poignet. La stimulation de ce point activera la production et la circulation d'énergie vitale en quantité suffisante pour vous faire traverser la pire des tempêtes avec le sourire.

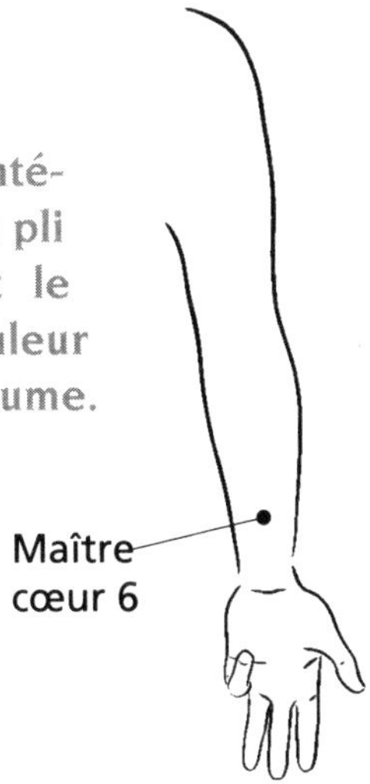

Maître cœur 6

Ceci étant fait, renforcez l'effet de l'exercice en déclarant, avec un enthousiasme raisonnable et une certaine détermination :

> *« J'annonce officiellement la fin de la souffrance dans ma vie. Je ne suis en effet plus obligé de souffrir par égard pour qui que ce soit, y compris pour moi-même. Bien sûr, je peux continuer à souffrir si je trouve cela agréable, cependant il faut savoir que plus je souffre, plus les autres souffrent avec moi. Inversement, plus j'abandonne la souffrance en tant que réponse habituelle à la vie, plus la paix et le bonheur prévaudront. Que la paix et le bonheur prévalent dès à présent pour moi et pour toute personne qui le souhaiterait sur cette planète. »*

Mettez un terme à la souffrance… maintenant.

Libérez-vous du fait que ce livre est interminable et trop lourd pour pouvoir être emporté partout

54

Il est 12 h 30. J'ai mis le cap sur Londres et son béton, son granit, ses briques, son verre, sa pollution et son bruit. Je rentre dans le brouhaha et le désordre du monde, libéré de l'isolement (certes excellent pour la réflexion) de la vieille grange en pierre perchée sur le sommet d'une colline galloise sauvage, balayée par les vents.

Mais avant de me plonger dans les e-mails qui doivent m'attendre là-bas, je tenais à vous remercier d'avoir été si gentils avec moi et d'avoir écouté aussi attentivement mes propos d'ermite un peu fêlé.

Je voulais également vous féliciter d'avoir aussi aisément rejoint les rangs de Simon Bolivar, de Che Guevara et de tous les grands libérateurs de l'histoire. Sachez qu'en affichant le courage d'entamer un processus d'auto-libération, vous inciterez d'autres personnes à faire de même, et avant de vous en rendre compte, vous aurez libéré le monde entier !

Et à ce moment-là, même le Bouddha (qui, selon les rumeurs et pour des raisons personnelles, attendrait dans la voûte céleste que tout le monde soit enfin libéré de la souffrance) applaudirait avec ravissement en criant « *Enfin libre, enfin libre* », et les anges danseraient et chanteraient alléluia en buvant des cocktails pour fêter ça.

Puisse le son de leurs voix vous suivre partout, vous réconforter tout le long de votre parcours et vous rappeler de rester libre, comme le font pour moi les voix des deux anges d'Angel Mountain, Jeb et Mike.

Et maintenant est venu le temps de nous dire adieu,
sans tristesse dans le cœur, ni douleur dans les yeux.
Il n'y a pas de fin, pas de commencement,
seulement le continuum de la vie.
Bien sûr, il y a des frontières,
mais tout cela n'est que théâtre,
et vous ne faites qu'y prendre part,
et vous ne faites qu'y prendre part.

Et vous venez d'y prendre part (en étant « lecteur »)
avec grâce et sang-froid.
Vous avez été un public merveilleux et je vous en remercie.

À bientôt.

Barefoot Doctor, gare de Paddington, Londres 2002.

Psychologie au catalogue Marabout

- *100 % Ados*
  J. McGraw - Marabout Pratique
- *150 tests d'intelligence*
  J. E. Klausnitzer - Poche n° 3529
- *80 tests de logique*
  J. E. Klausnitzer - Poche n ° 3530
- *Ados, les bons plans*
  S. Turcaud - *Marabout Pratique*
- *Amour et de sexe* (D')
  B. Lahaie - Actualité
- *Amour sans condition* (L')
  L. I. Hay - Poche n° 3662
- *Analyse transactionnelle* (L')
  R. de Lassus - Poche n° 3516
- *Année du bonheur* (L')
  I. Filliozat - Maxi Blocs
- *Anorexie, boulimie et compulsions*
  Pr. D. Rigaud - Actualité
- *Apprivoiser le deuil*
  M. Ireland - Poche n° 3677
- *Ce que veulent les hommes*
  Gertsmam, Pizzo, Seldes - Poche n° 3672
- *Capital chance* (Notre) – *Poche n°* 3691
  Dr R. Wiseman
- *Ces amours qui nous font mal*
  P. Delahaie - Actualité
- *Ces gens qui vous empoisonnent l'existence*
  L. Glas - Poche n° 3597
- *Cette famille qui vit en nous*
  C. Rialland - Poche n° 3636
- *Cinq entretiens avec le Dalaï Lama*
  Dalaï Lama - Poche n° 3650
- *Comment lui dire*
  Dr. C. Foster - Poche n° 3596
- *Communication efficace par la* PNL (La)
  R. de Lassus - Poche n° 3510
- *Couple : le check up*
  G. Ambra - Poche n° 3670
- *Couple : vivre et grandir ensemble*
  P. Howell et R. Jones - Actualité
- *Découvrir son profil psychologique*
  G. Azzopardi - Poche n° 3592
- *Décrochez !*
  Dr S. Angel – Poche n° 2893
- *Développez votre intelligence sexuelle*
  G. d'Ambra - Poche n° 3684
- *Dictionnaire Marabout des rêves*
  L. Uyttenhove - Poche n° 3542
- *Efficace et épanoui par la* PNL
  R. de Lassus - Poche n° 3563
- *Ennéagramme* (L')
  R. de Lassus - Poche n° 3568
- *Et moi, alors !*
  P. McGraw - Actualité
- *États non ordinaires de conscience* (Les)
  M. Nachez - Poche n° 3640
- *Être la fille de sa mère et ne plus en souffrir*
  P. Delahaie - Actualité
- *Femmes, le sexe, etc.* (Les)
  E. Willer - Actualité
- *Force est en vous* (La)
  L. I. Hay - Poche n° 3647
- *Frères et des sœurs* (Des)
  Dr S. Angel - Poche n° 3681
- *Gestalt, l'art du contact* (La)
  S. Ginger - Poche n° 3554
- *Guide Marabout des tests* (Le)
  A. Bacus et C. Romain - Référence
- *Grand livre des tests de* Q.I. (Le)
  A. Bacus - Actualité
- *Harcèlement psychologique* (Le)
  D. K. Rhodes - Poche n° 3595
- *Hommes, les femmes etc.* (Les)
  E. Willer - Actualité
- *Hommes, les femmes etc.* (Les)
  E. Willer - Poche n° 3679
- *Hommes, le sexe, etc.* (Les)
  E. Willer - Actualité
- *Intelligence du cœur* (L')
  I. Filliozat - Poche n° 3580

- *Interprétation des rêves* (L')
  P. Daco - Poche n° 3501
- *J'élève mon mari*
  F. Barjot - Poche n° 3676
- *Je t'aime moi aussi*
  B. Muldorf - Poche n° 3674
- *Journal d'un psychanalyste*
  S. Tisseron
- *Kilos Ados*
  Dr. Cocaul et M. Belouze
  - Marabout Pratique
- *Langage des gestes* (Le)
  D. Morris - Poche n° 3590
- *Maxi Rêves*
  A. Hess - Maxi Blocs
- *Maîtriser ses phobies*
  Dr. R. Stern - Poche n° 3600
- *Méditer au quotidien*
  H. Gunaratana - Poche n° 3644
- *Mesurez votre Q.I.*
  G. Azzopardi - Poche n° 3527
- *Méthode Coué* (La)
  E. Coué - Poche n° 3514
- *Oser être soi-même*
  R. de Lassus - Poche n° 3603
- *Oser briser la glace*
  S. Jeffers - Poche n° 3673
- *Parents et toujours amoureux*
  S. Biddulph - Poche n° 3680
- *Parents toxiques*
  S. Forward - Poche n° 3678
- *Petit guide pratique de la scène de ménage*
  Dr P. Lemoine - Poche n° 3686
- *Plénitude de l'instant* (La)
  T. Nhat Hanh - Poche n° 3655
- *Prodigieuses victoires de la psychologie* (Les)
  P. Daco - Poche n° 3504
- *Principe de non-violence* (Le)
  J.-M. Muller - Poche n° 3657
- *Psy de poche* (Le)
  S. Mc Mahon - Poche n° 3551
- *Psy mode d'emploi* (La)
  Psychologies Magazine - Marabout Pratique
- Puissance de la pensée positive (La)
  N. V. Peale - Poche n° 3607
- *Que se passe-t-il en moi ?*
  I. Filliozat - Poche n° 3671
- *Réussissez les tests d'intelligence*
  G. Azzopardi - Poche n° 3512
- *Sauvez votre couple*
  P. McGraw - Actualité
- *Se libérer de ses dépendances*
  P. Senk et F. de Gravelaine - Poche n° 3668
- *Se préparer au grand amour*
  I. Vanzant - Actualité
- *Secrets de famille, mode d'emploi*
  S. Tisseron - Poche n° 3573
- *Seul maître à bord*
  P. McGraw - Actualité
- *Sexe des larmes* (Le)
  Dr. P. Lemoine - Poche n° 3688
- *Sexo ados*
  Dr. C. Solano - Marabout Pratique
- *Rupture : petit guide de survie*
  D. Hirsh - Poche n° 3689
- *Tests psychologiques* (Les)
  C. Cesari - Poche n° 3533
- *Thérapie du bonheur* (La)
  Dr E. Jalenques - Poche n° 3682
- *Tous les tests pour faire les bons choix*
  G. d'Ambra - Poche n° 3685
- *Tout se joue en moins de 2 minutes*
  N. Boothman - Poche n° 3675
- *Transformez votre vie*
  L. I. Hay - Poche n° 3633
- *Tremblez mais osez*
  S. Jeffers - Poche n° 3669
- *Triomphes de la psychanalyse* (Les)
  P. Daco - Poche n° 3505
- *Vie à bras le corps* (La)
  S. Jeffers - Poche n° 3690

Imprimé en Espagne chez Graficas Estella
Dépôt légal : 49518 – septembre 2004
ISBN : 2501041518
40.0765.4/01